지식해설가의

생활속의경제 강의노트

권오규

BOOKK

"지식해설가의 해설강의와 함께 공부하세요"

해설강의 듣는 방법_____

ㅣ지식해설가 네이버 TV(네이버 NOW)

ㅣ지식해설가 네이버 Blog

지식해설가의 생활속의경제 강의노트

발　행 | 2023년 08월 25일
저　　자 | 권오규
펴낸이 | 한건희
펴낸곳 | 주식회사 부크크
출판사등록 | 2014.07.15.(제2014-16호)
주　　소 | 서울특별시 금천구 가산디지털1로 119 SK트윈타워 A동 305호
전　　화 | 1670-8316
이메일 | info@bookk.co.kr

ISBN | 979-11-410-4084-0

www.bookk.co.kr

지식해설가의

생활속의경제
강의노트

권오규

프롤로그 Prologue

갓 스무 살이 넘으면서 세상이 정말 궁금해지기 시작했다. 그래서 태어나 처음으로 교과서나 문제집이 아닌 '책'이라는 것을 읽기 시작했다. 그러다가 대학원 석박사과정에서 접하게 된 '복잡계 패러다임'은 나의 공부 접근법을 근본적으로 바꾸어 놓았다. 세상을 부분적이고 분절적으로 이해하지 말고 전체적이고 통합적으로 바라보라! 맹인모상(盲人摸象)이 자연스레 스쳐 지나가는 순간이었다. 눈먼 장님들이 코끼리를 제각각 만지고 그 본 모습의 단면만을 말하고 있는 꼴이라니. 그 이후 나는 참으로 다양한 영역을 기웃거리기 시작했다. 수십 년 죽어라 기웃거려도 아직 코끼리 본 모습이 어떠한지 감도 잡히지 않는다. 그래도 코끼리 정면, 옆면, 윗면, 뒷면을 쉼없이 기웃거린다. 강사 디렉터, 대표강사, 책임연구원, 전략기획 이사 등의 명함을 잠깐씩 가진 적이 있었고 지금은 '지식해설가'라는 이름으로 그럴싸하게 폼잡고 있지만 나는 그냥 '초보 공부쟁이' 혹은 '초보 공부꾼'에 지나지 않는다.

그렇다면 공부에 관해서 걸음마 수준에 있는 내가 어째서 감히(?) 강의노트라는 이름으로 책을 만들었을까? 그 이유는 대학수준의 공부를 하는 것이 어려운 분들을 돕고 싶었기 때문이다. 2008년부터 다양한 현장에서 강의를 해 오고 있는데, 강의를 할 때마다 느끼는 것이 수강생분들이 너무 힘들어 한다는 점이다. 대학수준의 공부를 갑자기 한다는 것이 어디 그리 녹록하겠는가. 대학을 졸업하신 분도 완전히 새로운 분야를 다시 공부하는 것이 쉬운 것은 아니다. 그래서 미력하나마 좀 더 많은 분들이 무사히 공부를 마무리하실 수 있도록 도움을 드리고자 결심했다.

　이러한 이유로 거창한 책보다는 핵심 포인트와 문제(key point & exercise)를 정리한 강의노트 형식을 채택했다. 강의노트다보니 자세한 설명을 글로 쓸 수 없는 한계가 있었다. 이를 보완하기 위해 강의노트 내용과 문제를 해설하고 풀어주는 동영상 강의를 동시에 제작하여 제공하게 되었다. 네이버 지식해설가 블로그와 지식해설가 네이버TV(네이버 NOW)에서 무료로 제공된다. 네이버(NAVER)에서 '지식해설가'로 검색하면 된다. 강의노트와 동영상 강의를 병행하여 공부하는 것이 가장 효율적인 공부방법이다.

지식해설가 네이버TV

지식해설가 블로그

차례 Contents

01강 경제문제, 자원의 희소성

⊂KEY 01 경제의 정의와 어원

1. 경제(economy)의 의미와 주체
① 경제의 의미
• 재화를 생산, 분배, 소비하는 인간(경제 주체)의 모든 활동
: 인간의 활동을 둘러싼 질서나 제도도 포함
② 경제활동의 3대 주체
• 가계(household), 기업(firm), 정부(government)
: 경제 주체의 개별적 활동이 아니라 상호 연관 속에서 경제
활동을 순환적·종합적으로 파악

2. 동·서양의 경제관과 경제의 어원
① 동양의 경제
• 경세제민(經世濟民)
: 세상을 다스리고 백성(국민)을 편안하게 함
: political economy - 사람과 사회에 관한 학문
② 서양의 경제
• 그리스어 oiko(가계, 집) + nomos(법, 관리, 지배)
: 집안 살림을 하는 사람 - 돈·가정관리의 이재술(理財術)

KEY 02 경제문제의 출발점, 희소성

1. 자원의 희소성과 경제문제

① 경제문제의 발생

• 희소성(scarcity)

: 경제 주체인 인간이 사용 가능한 자원에 제약이 존재함

: 인간의 무한한 욕구와 욕구 충족 수단인 한정된 자원

: 자원의 상대적 희소성(稀少性)으로부터 경제문제 발생

• 경제문제

: 자원의 희소성 때문에 선택이 필요

: 욕구 충족을 위해 자원을 희소성제약조건 하에서 선택

: 경제문제는 선택의 문제

: 이용가능한 자원이 제약 없이 무한하면 경제문제는 없음

• 경제학은 선택의 학문

: 주어진 희소한 자원을 어떻게 배분할지를 선택

② 상대적으로 나타나는 희소성

• 희소성은 절대적인 수량의 부족을 의미하지 않음

: 절대적인 수량 부족이 아니라 경제 주체의 욕구와 상황에 따라 변할 수 있는 주관적(상대적)인 것

• 부존량이 풍부한 재화일지라도 사람들이 필요로 하지 않으면 희소성은 없음

: 절대적 수량이 많아도 희소성이 높을 수 있음

: 절대적 수량이 적어도 희소성이 낮을 수 있음

희소성에 따른 재화 구분 - 자유재와 경제재

- 자유재(free goods)
: 욕구에 비해 부존량이 너무 많아서 희소성이 없는 재화
: 부존량이 많아 비용을 지불하지 않고 사용할 수 있는 재화
: 시장에서 거래되지 않고, 가격이 정해지지 않음
: 공기
- 경제재(economic goods)
: 욕구에 비해 존재량이 적어서 희소성이 있는 재화
: 시장에서 거래되고 가격이 정해짐
: 대부분의 재화
- 자유재에서 경제재로의 변화
: 시대에 따라 변화 가능
: 물 → 생수

QUIZ **01** 다음 중 경제학과 관련된 내용과 가장 거리가 먼 것은?

① 자원의 희소성
② oiko nomos
③ 경제 주체의 유한한 욕망(욕구)
④ 선택

3대 경제문제(Paul A. Samuelson)

What	• 무엇을 얼마나 생산할 것인가? • 생산물의 종류와 수량 결정
How	• 어떤 방식으로 생산할 것인가? • 생산방법 결정 • 어떤 자원과 기술을 이용해 생산할 것인가?
For Whom	• 누구를 위해 생산할 것인가? • 분배의 결정 • 생산된 재화를 사회구성원에게 배분하는 메커니즘에 대한 결정

QUIZ

02 economy는 그리스어 Oiko와 Nomos의 합성어로서 어원적 해석은 '(   )을 관리한다'는 의미이다. (   )에 알맞은 말은?

① 국가   ② 산업   ③ 가정(집안)   ④ 기업

QUIZ

03 인간이 경제활동을 함에 있어 선택의 문제가 중요한 이유는 자원의 어떤 특성 때문인가?

① 경쟁성   ② 희소성   ③ 예측가능성   ④ 공공성

01 경제라는 말의 어원에 대하여 틀리게 설명한 것은?

① 한자어로 경제는 세상을 다스리고 국민을 편안케 한다는 경세제민(經世濟民)의 약자이다.
② 영어의 economy는 그리스어의 oiko와 nomos의 합성어로 가정(집안)을 관리한다는 뜻에서 유래했으며 돈을 관리하는 이재술에 가깝다.
③ 가정의 경제를 표현하기 위해 political economy라는 표현이 쓰이기도 했다.
④ 동양의 경세제민이 서양의 이코노미보다 더 넓은 의미를 지닌다.

02 다음 ( )에 가장 알맞은 말은?

> 경제는 재화를 생산, (   ), 소비하는 인간의 제반 활동과 그 활동과 연관된 제도와 질서를 지칭하는 것이다.

① 후생   ② 복지   ③ 분배   ④ 교환

03 | 다음 중 경제문제의 출발점으로 옳은 설명은?

① 욕구는 무한하지만, 이를 달성할 수 있는 수단 또는 자원이 희소하다.

② 욕구가 무한하지만, 이를 달성할 수 있는 수단 또는 자원도 무한히 많다.

③ 개인의 선택은 사회에 영향을 미치지 않는다.

④ 경제는 재화를 생산, 소비하는 활동이며, 따라서 분배 활동은 포함되지 않는다.

04 | 경제학과 관련한 내용 중 가장 적절하지 않은 것은?

① '경제'란 세상을 다스리고 국민을 편안하게 만든다는 의미이다.

② 경제(economy)는 그리스어 oiko nomos에서 유래하였다.

③ 자원의 희소성 때문에 선택이 필요하다.

④ 경제학은 인간의 욕망이 유한하다는 것을 전제로 한다.

05 | 다음 중 경제문제를 가장 집약적으로 나타낸 것은?

① 생산문제　　　　　　　　② 실업문제
③ 희소성문제　　　　　　　④ 경제성장문제

06 | 경제에 관한 다음 설명 중 옳지 않은 것은?

① 경제학은 선택에 관한 학문이다.
② 동양의 경제관에서 '경제'란 '집안 살림'을 의미한다.
③ 욕구에 비해 자원의 존재량이 적어서 희소성이 있는 재화를 경제재라고 한다.
④ 경제문제는 자원의 희소성으로 인해 발생된다.

07 | 경제에 관한 설명 중 적절하지 않은 것은?

① 가계, 기업, 국가가 세 주요 경제주체이다.
② 경제는 재화를 생산, 분배, 소비하는 행위이다.
③ 서양의 경제관에서 '경제'란 '집안 살림'을 의미한다.
④ 절대적 수량이 많으면 희소성은 언제나 낮다.

08 | 경제학에 대한 다음 설명 중 적합하지 않은 것은?

① '경제'란 세상을 다스리고 국민을 편안하게 만든다는 경세제민을 의미한다.
② 경제(economy)는 집안살림을 하는 사람이라는 그리스어 oikonomos에서 유래하였다.
③ 희소성 때문에 선택이 필요 없는 학문하다.
④ 인간의 욕망이 무한하다는 것을 전제로 한다.

09 경제재에 대한 다음 서술 중 가장 옳지 않은 것은?

① 사람의 욕구를 충족시킨다.
② 비용을 지급할 필요가 없으며 서비스는 해당되지 않는다.
③ 희소성의 법칙이 적용된다.
④ 선택의 문제가 생긴다.

10 경제체제를 막론하고 발생하는 세 가지 기본적인 경제문제에 해당되지 않는 것은?

① 무엇을 얼마나 생산할 것인가
② 누가 생산할 것인가
③ 어떻게 생산할 것인가
④ 누구를 위하여 생산할 것인가

11 경제와 관련한 다음 서술 중 옳지 않은 것은?

① 경제문제는 희소성으로 인해 발생한다.
② 인간의 욕구에 비해 부존량이 적어 희소성 있는 재화를 경제재라고 한다.
③ 희소성은 사람들의 욕구와 상황에 무관하게 절대적으로 나타난다.
④ 누구를 위해 생산할 것인가의 문제는 분배에 관한 문제이다.

02강 합리적 선택과 기회비용

KEY 01 경제문제의 해결, 합리적 선택

1. 경제문제의 해결
① 인간(경제주체)에 대한 가정
• 현실의 사람이 아닌, 특정 행동을 할 것으로 가정한 가상의 존재
: 개인, 기업, 대학, 국가 등 분석 기준에 따라 다양하게 생각할 수 있음
• 인간은 이기적(손해되는 일을 하지 않음)이고 합리적(수단의 합리성)존재
② 수단의 합리성
• 최소비용으로 최대효과를 얻을 수 있는 수단을 찾는 문제
: 목적의 합리성, 즉 어떤 목적과 목표를 달성하고자 하는지는 묻지 않음(윤리학의 영역)
: 목표 추구가 옳은지 그른지는 고려하지 않음
③ 합리적 선택
• 편익이 비용보다 더 큰 것을 선택
• 최소의 비용으로 최대의 효과를 얻는 선택

KEY 02 합리적 선택의 기준, 기회비용

1. 기회비용(opportunity cost)

① 합리적 선택의 기준 - 기회비용

• 여러 가지 대안 중 하나를 선택했을 때, 포기한 다른 대안 중 가장 가치가 큰 대안

: 어떤 선택으로 포기한 기회 중 가치가 가장 큰 기회 자체 또는 기회의 가치

② 합리적 선택

• 기회비용이 작은 것을 선택하라

2. 경제적 비용과 회계적 비용

① 경제적 비용

• 기회비용의 개념

• 명시적 비용(회계적 비용) + 암묵적 비용

: 회계적 비용은 실제 소모된 비용만 고려

QUIZ **04** (   )이란 어떤 것을 선택함으로써 포기해야 하는 가치를 말한다. (   ) 에 알맞은 말은?

① 회계비용

② 기회비용

③ 탐색비용

④ 매몰비용

기회비용과 매몰비용

▪ 기회비용

Q) 친구와 2시간 분량의 영화를 관람하고자 한다. 이 때, 영화를 보지 않고 아르바이트를 할 경우, 시간 당 1만원의 수입을 얻을 수 있다. 친구와 영화를 보기로 결정한 경우 기회비용은 얼마인가?

A) 회계적 비용 = 영화관람료

경제적 비용(기회비용) = 영화관람료 + 아르바이트 수입 2만원

▪ 매몰비용(sunk cost)

: 현재 시점에서 어떤 선택을 하더라도 회수 불가능한 비용

: 그러므로 경제적 의사결정 시 절대 고려하지 않음

: 매몰비용은 선택의 기준에 포함되어서는 안 됨

QUIZ **05** 비용과 관련된 다음 설명 중 옳은 것은?

① 기회비용이란 어떤 것을 선택함으로써 포기한 것 중 가장 작은 가치를 말한다.

② 회계적 비용은 기회비용에 포함되지 않는다.

③ 암묵적 비용은 기회비용에 포함되지 않는다.

④ 선택을 할 때 매몰비용은 고려되지 않는다.

02강 | 문제풀이 연습

🔄 01 | 다음의 설명 중 가장 옳은 것은?

① 기회비용이란 어떤 것을 선택함으로써 포기해야 하는 것들 중 가장 가치가 큰 것이다.

② 경제학에서 말하는 기회비용은 회계비용과 같다.

③ 매몰비용은 어떤 선택을 위해 실제로 지불된 비용 중 다시 회수할 수 있는 비용이다.

④ 매몰비용은 경제적 선택의 고려 대상에 포함되어야 한다.

🔄 02 | 경제학과 관련한 다음 설명 중 적절하지 않은 것은?

① 이타적 인간을 가정한다.

② 경제학은 수단의 합리성에 기초하여 선택원리를 모색하는 학문이다.

③ 인간의 욕망(욕구)에 비해 그것의 충족수단인 자원이 희소하다는 데에서 출발한다.

④ 합리적 의사결정 과정에서 고려하는 비용은 기회비용을 포함한 비용이다.

03 | 기회비용과 관련한 다음 설명 중 옳지 않은 것은?

① 동일한 행위일지라도 그것의 기회비용은 사람마다 다르다.
② 회계적 비용은 기회비용에 제외된다.
③ 암묵적 비용은 기회비용에 포함된다.
④ 기회비용은 경제학적 측면에서의 비용을 말한다.

04 | 다음 ( )에 알맞은 말은?

> 월드컵 축구경기를 시청하느라 시험공부를 제대로 하지 못하여 학점을 F 받았다면, 학점 F는 월드컵 축구경기 시청의 (   )에 포함된다.

① 명시적 비용   ② 기회비용
③ 탐색비용   ④ 거래비용

05 | 아래 내용을 참고하여 현재 직장에 다니는 홍길동의 기회비용을 계산하면?

> 현재 직장에서 70만 원의 월급을 받는 홍길동은 경쟁업체에서 100만 원의 월급을 제시하였다. 그러나 홍길동은 이를 거절하였다.

① 70만 원   ② 100만 원
③ 30만 원   ④ 170만 원

06 | 다음 설명 중 옳은 것은?

① 기회비용이란 어떤 것을 선택함으로써 얻게 되는 가치를 말한다.

② 기회비용은 회계비용을 포함한다.

③ 암묵적 비용은 기회비용에 포함되지 않는다.

④ 경제학적 비용은 회계비용만을 의미한다.

07 | 다음 서술 중 가장 옳지 않은 것은?

① 대안을 선택할 때 매몰비용은 고려하지 않는다.

② 인간의 무한한 욕구에 비해 자원이 제한되어 있기 때문에 경제문제가 발생한다.

③ 경제학의 기회비용은 실제로 소모된 회계비용으로만 계산한다.

④ 경제학에서의 합리성은 수단의 합리성을 의미한다.

08 | 다음 설명 중 가장 적합하지 않은 것은?

① 기회비용은 선택으로 인해 포기한 기회의 최대가치이다.

② 경제행위자는 이기적이고 합리적인 존재이다.

③ 합리적 의사결정에서 고려하는 비용은 기회비용을 포함한 비용이다.

④ 경제학은 목적 합리성에 기초하여 선택원리를 모색한다.

03강 경제모형과 경제학의 구분

KEY 01 경제학의 정의

1. 앨프리드 마셜(Alfred Marshall)

① 경제학

• 생활상의 일상 업무에 종사하는 인간의 연구

• 복지에 요구되는 물질 획득과 사용에 가장 긴밀하게 관련된 부분을 검토

• 경제학 범위를 물질에 한정

• 복지의 관점에서 정의

2. 라이어널 로빈스(Lionel Robbins)

① 경제학

• 여러 가지 용도에 대체하여 사용될 수 있는 한정된 자원과 무한한 욕구 사이의 한 관계로서 인간의 행동을 연구

• 경제학은 가치판단이 배제된 사실만을 추구해야 함

• 경험적(귀납) 분석과 선험적(연역) 분석의 상호 보완성 주장

마셜의 경제학 정의에 대한 로빈스의 비판

- 물질적인 것에 한정하여 경제학 범위 좁게 설정하게 됨
: 서비스 활동 등의 비물질적 것들이 존재함
- 마셜은 복지의 관점에 경제학을 정의했으나 주류 및 마약생산처럼 복지에 역행하는 행위가 다수 존재함
- 복지는 모호하고 주관적인 개념
: 수량적 파악이 어려움
: 무엇이 좋은 복지인지에 대한 동의를 구하기 어려움
: 이미 가치판단이 내재된 개념

QUIZ **06** 경제학과 관련한 로빈스의 주장과 가장 거리가 먼 것은?

① 한정된 자원과 무한한 욕구 사이의 관계
② 복지에 요구되는 물질 획득
③ 가치판단을 배제하고 사실만을 추구
④ 경험적 분석과 선험적 분석의 상호보완성

ⓒKEY 02 경제학의 구분 - 실증경제학과 규범경제학

실증경제학	• 실증적 문제 : 사실과 관련된 문제 : 무엇은 어떤 것이다 • 주관적 가치판단 배제 : 현실에서 얻어진 자료(관찰한 자료)로 진위판별 : 경제현상이 ~하다, ~할 것이다
규범경제학	• 규범적 문제 : 가치판단 포함 : 당위성 관련 문제 : 무엇이 어떠해야 한다. • 경제현상의 주관적 평가(주관적 가치관 내포) : 가치판단을 전제로 함 : 경제현상이 ~해야한다, ~하는 것이 바람직하다 ~는 안 된다, ~는 불공평하다 : 현실 관찰자료로 진위가 가려질 수 없음

⦿KEY 03 경제학의 구분 - 미시경제학과 거시경제학

미시경제학	• 개별소비자나 개별생산자의 행위 분석 • 경제주체들의 경제행위 분석하여 경제문제가 어떻게 해결되는지와 이에 대한 평가 • 자원배분 과정을 분석
거시경제학	• 국민소득의 결정, 경제성장, 경기변동 원리 : 한 나라의 경제전체를 다룸 : 한 나라 전체의 소득과 고용, 한 나라 전체의 물가 수준, 전체 수입과 수출 결정 등 • 자원배분의 결과로 나타나는 전체적 경제지표를 분석대상으로 함 ※ 미시경제학과 거시경제학 : 상호 밀접한 연관이 있음 : 한 나라 전체의 소득, 고용 , 물가 등은 경제주체들의 의사결정에 좌우됨 : 미시경제를 기초로 한 거시경제

KEY 04 경제모형

1. 경제모형(economic model)
① 모형
• 실제 시스템을 목적에 맞게 대표함
: 모형을 이용하여 시스템의 작동원리를 이해
: 모형을 이용하여 관찰한 패턴을 설명
: 모형을 이용하여 어떤 변화에 따라 시스템이 어떻게 변하는지를 예측
② 경제모형
• 경제분석 및 예측을 목적으로 경제이론에 따라 고안된 개념적 틀
• 복잡한 경제현상 변수들 간의 상호 의존관계를 이론적으로 연구 → 수식화 → 통계적 검증 및 예측

2. 경제모형과 현실
① 경제모형은 어디까지 현실 반영해야하는가?
• 모든 것을 이론화한 모형은 불필요
: 질문의 답과 무관하거나 중요하지 않은 현실은 제외시킴
• 밀턴 프리드만
: 모형의 적실성은 예측의 정확성으로 검증됨
: 가정의 현실성으로 검증되지 않음

$\bigcirc$KEY05 경제순환모형

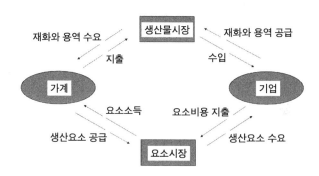

1. 경제순환모형의 이해

① 경제순환모형

• 경제를 구성하는 여러 주체(가계와 기업)와 이들 사이의 실물 및 돈의 흐름을 구성하는 모형

가계	• 만족(효용) 극대화 하는 상품을 선택 • 요소시장에 노동과 자본을 공급
기업	• 이윤을 극대화 하는 생산량 결정 • 요소시장에서 생산요소 고용
생산물시장	• 시장은 가계와 기업의 독립적 의사결정이 거래되는 추상적 공간 • 생산물시장과 요소시장
요소시장	• 노동, 토지, 자본이 거래됨

파레토 최적(Pareto Optimal)

▪ 완전경쟁시장
: 가계와 기업의 독립적 의사결정에 의해 파레토 최적 상태이
이르게 됨
▪ 파레토 최적
: 다른 주체들의 만족을 희생하지 않고는 어느 누구의 만족도
더 이상 높일 수 없는 상태
▪ 사회적 효율성 달성
: 사회가 파레토 최적 상태에 있는 경우에 달성됨

QUIZ 07 경제학과 관련한 다음 설명 중 옳지 않은 것은?

① 경제학은 목적의 합리성에 기초하여 선택의 원리를 모색하
는 학문이다.
② 미시경제학은 개별 소비자 또는 생산자의 행위를 분석한다.
③ 거시경제학은 국민소득 결정, 경제성장, 경기변동의 원리를
분석한다.
④ 실증경제학은 "……하다" 또는 "……할 것이다"의 표현처럼 현
실에서 얻은 자료로 진위를 판별하는 연구를 한다.

01 | 개별경제주체들의 행동원리와 개별시장의 현상을 분석하는 경제학은?

① 미시경제학   ② 실증경제학

③ 거시경제학   ④ 규범경제학

02 | 다음은 경제에 관한 설명이다. 적절하지 않은 것은?

① 실증경제학은 주관적 가치관을 반영한다.

② 거시경제학의 분석대상은 한 나라의 경제 전체를 다룬다.

③ 경제는 재화를 생산, 분배, 소비하는 행위이다.

④ 균형가격은 미시경제학의 분석 대상이다.

03 | 다음 중 거시경제학의 분석 대상이 아닌 것은?

① 개별경제주체들의 행동원리

② 경제성장, GDP

③ 물가변동, 실업

④ 국제수지, 환율

04 | 다음은 경제모형(경제순환모형)에 관한 설명이다. 적절하지 않은 것은?

① 생산요소시장에서 가계는 공급자이다.

② 경제모형은 경제현실을 단순화한 것이다.

③ 기업은 생산하기 위해 노동, 자본, 토지 등 생산요소를 생산물시장에서 고용한다.

④ 가계는 효용(만족)을 극대화하는 상품의 구매량을 선택하고, 이를 구매할 수 있는 소득을 얻기 위해 요소시장에서 노동과 자본을 공급하는 주체이다.

05 | 다음 중 미시경제학의 분석대상이 아닌 것은?

① 경제성장   ② 소비자 행동원리
③ 균형가격   ④ 생산자 행동원리

06 | 경제성장이나 물가변동, 국제수지와 같은 총량적 변수를 분석하는 경제학은?

① 미시경제학

② 실증경제학

③ 거시경제학

④ 규범경제학

07 | 실증경제학에 대한 다음 서술 중 가장 옳은 것은?

① '~이다, ~하다, ~할 것이다 ' 라고 경제현상을 설명한다.
② 현실에서 관찰된 자료로서 경제현상의 검증 및 진위를 판별할 수 없다는 특징이 있다.
③ 주관적 가치관을 내포하게 된다.
④ 자녀의 교육수준과 부모의 교육수준에 의해 결정되는 소득분배는 불공평하다는 결론이 대표적인 예이다.

08 | 다음은 경제순환모형에 관한 설명이다. 가장 적절하지 않은 것은?

① 가계는 상품과 서비스를 소비하는 주체이다.
② 기업은 상품과 서비스를 생산하는 주체이다.
③ 기업이 생산한 상품과 서비스는 생산물 시장에서 거래된다.
④ 요소시장에서 상품과 서비스를 거래하며 가계는 구매한 상품을 생산한 기업들에게 구매 상품의 가치만큼 지불한다.

09 | 다음 중 주관적 가치판단을 배제하고 현실에서 얻어지는 자료를 바탕으로 그 진위를 판별하는 것과 관련된 것은?

① 거시경제학
② 규범경제학
③ 미시경제학
④ 실증경제학

10 | 다음 중 규범경제학과 가장 관계가 없는 것은?

① 가치판단이 개입된다.
② 끽연은 건강에 해로우므로 담배에 특별세를 부과해야 한다.
③ 토지 가격이 너무 비싸므로 토지의 사유를 제한하는 것이 바람직하다.
④ 주세를 높이면 음주를 위한 지출이 감소할 것이다.

11 | 다음 (   )에 알맞은 말이 바르게 짝지어진 것은?

> (   )에서 가계와 기업의 독립적 의사결정의 결과, 다른 주체들의 만족을 희생하지 않고는 어느 누구의 만족도 더 이상 높일 수 없는 상태에 도달하는 상품과 요소의 양이 결정된다. 그러한 상태를 (   )이라고 하며, 사회가 이 상태에 있는 경우 사회적 효율성이 달성되었다고 한다.

① 완전경쟁시장 - 파레토 최적
② 불완전경쟁시장 - 파레토 최적
③ 완전경쟁시장 - 파레토 극소화
④ 불완전경쟁시장 - 파레토 극대화

04강 시장, 수요와 공급

NOTE 함수와 그래프

- 함수란?

: 원인과 결과

: 결과 = f(원인) → y = f(x)

- 함수의 그래프

```
                      결과
                       │
   (원인 -, 결과 +)     │    (원인 +, 결과 +)
                       │
───────────────────────┼──────────────────── 원인
                       │
   (원인 -, 결과 -)     │    (원인 +, 결과 -)
                       │
```

NOTE 　수요·공급함수와 수요·공급곡선

▪ 수요함수와 공급함수

: 수요량 = f(가격) → 가격은 수직축, 수요량은 수평축

: 공급량 = f(가격) → 가격은 수직축, 공급량은 수평축

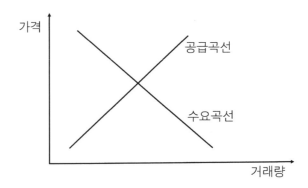

KEY 01 수요법칙

1. 수요량과 수요계획

① 수요량

• 주어진 가격에서 수요자가 사고자 하는 상품 수량

② 수요계획(수요표)

• 다른 조건이 변하지 않을 때 가격과 수요량 간의 관계를 정리한 것

2. 수요함수와 수요곡선

① 수요곡선

• 가격과 수요량의 관계를 나타낸 것

: 상이한 가격에서 수요계획을 곡선으로 만든 것

• 우하향의 형태

: 가격과 수요량 간에 음(-)의 관계 → 수요법칙

• 기펜재(Giffen goods)

: 가격이 상승하면 수요가 증가

: 수요법칙이 적용되지 않는 대표적 재화

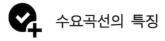 수요곡선의 특징

- 주어진 가격에서 어느 정도 양을 소비할지의 의향을 나타냄
- 한계지불의사금액(한계지불용의금액)
: 주어진 재화를 소비하기 위해 얼마나 많은 금액을 지불하고자 하는지를 나타냄
: 수요곡선의 높이
: 추가적인 상품 한 단위에 지불하고자 하는 가장 높은 가격
- 지불 총금액은 수요곡선 아래 면적

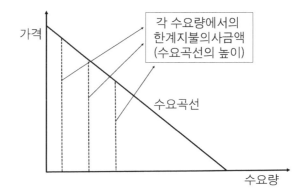

수요곡선이 우하향하는 이유

- 한계효용체감의 법칙(한계편익체감의 법칙)
: 재화의 소비가 증가할수록 한계지불의사금액은 하락
: 추가적 상품 한 단위 소비에 대한 추가적 지불의사금액 하락
- 재화의 소비(수요) 증가
→ 한계효용(편익) 체감
→ 한계지불의사금액 하락

QUIZ **08** 수요에 관한 다음 설명 중 옳지 않은 것은?

① 가격과 수요량 간에는 음(-)의 관계가 있다.
② 상품가격이 하락하면 수요가 감소하여 수요법칙이 적용되지 않는 재화를 열등재라고 한다.
③ 수요곡선은 우하향하는 형태를 보인다.
④ 어떤 상품의 가격과 수요량의 관계를 나타낸 것을 그 상품의 수요곡선이라고 한다.

C KEY 02 공급법칙

1. 공급량과 공급계획
① 공급량
• 판매자들이 특정가격에 판매하고자 하는 상품·서비스의 실제 수량
② 공급계획(공급표)
• 다른 조건이 불변일 때, 가격과 공급량의 관계를 정리한 것

2. 공급함수와 공급곡선
① 공급곡선
• 가격과 공급량의 관계를 나타낸 것
: 상이한 가격에서의 공급계획을 매끈한 곡선 형태로 만든 것
• 우상향의 형태
: 가격과 공급량 간에는 양(+)의 관계 → 공급법칙
: 공급법칙이 적용되지 않는 경우도 존재

 공급곡선의 특징

- 주어진 가격에서 어느 정도 재화를 공급할지 의향을 나타냄
- 한계수용의사금액(한계수용용의금액)

: 추가적 한 단위를 더 팔려고 할 때 받고자 하는 가장 낮은 가격(최저가격)을 나타냄

: 공급곡선의 높이

: 추가적인 공급에 대해 받고자 하는 최저가격

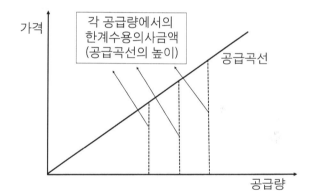

공급곡선이 우상향하는 이유

- 재화공급이 증가할수록 한계수용의사금액은 증가
→ 한계비용 증가와 관련
: 공급곡선이 우상향하는 것은 추가적 상품 한 단위 공급에 대해 추가적 한계비용이 증가함을 의미
- 재화의 생산(공급) 증가
→ 한계생산 체감
→ 한계비용 증가
→ 한계수용의사금액 증가

QUIZ **09** 다음 설명 중 가장 옳은 것은?

① 수요계획은 다른 조건이 변하지 않을 때, 가격과 수요량의 관계를 보여준다.
② 수요법칙은 가격과 수요량이 양(+)관계가 있음을 의미한다.
③ 공급계획은 기대와 공급량의 관계를 보여준다.
④ 공급법칙은 소득과 공급량이 양(+)의 관계임을 의미한다.

KEY 03 시장수요곡선과 시장공급곡선

1. 시장수요곡선
① 개별수요곡선의 수평 합
- 모든 잠재적 소비자의 개별수요곡선 총합
- 가격을 고정시키고 각 소비자의 수요량을 더함
- 우하향의 곡선형태 → 가격과 음(-)의 관계(수요법칙)
- 어떤 상품에 대해 한 사회의 어느 소비자가 지불하고자 하는 최고금액(최고가격)을 나타냄

2. 시장공급곡선
① 개별공급곡선의 수평 합
- 모든 잠재적 판매자들의 개별공급곡선 총합
- 가격을 고정시키고 각 판매자들의 공급량을 더함
- 우상향의 곡선형태 → 가격과 양(+)의 관계(공급법칙)
- 어떤 재화에 대해 한 사회에서 어느 기업이 받고자 하는 최저금액(최저가격)을 의미

문제풀이 연습

01 │ 다음의 수요·공급곡선에 대한 설명 중 옳은 것은?

① 수요곡선은 수요계획을 그림으로 표현한 것으로, 가격을 세로축으로 하고 수량을 가로축으로 하는 평면에서 우하향하는 곡선으로 그릴 수 있다.

② 공급곡선은 공급계획을 그림으로 표현한 것으로, 가격을 세로축으로 하고 수량을 가로축으로 하는 평면에서 우하향하는 곡선으로 그릴 수 있다.

③ 수요곡선에서 높이는 이 상품에 대해 소비자가 지불하고자 하는 최저가격을 의미한다.

④ 공급곡선에서 높이는 이 상품을 생산하기 위해 생산자가 수용하고자 하는 최고가격을 의미한다.

02 │ 다음 ( )에 알맞은 말은?

시장에서는 (   )과(와) 공급자가 만나서 가격을 결정하고 매매가 이루어 진다.

① 수요자   ② 생산자
③ 개인   ④ 중개인

○03 | 다음의 수요에 대한 설명 중 옳지 않은 것은?

① 시장수요곡선은 개별소비자의 수요를 모두 합한 것이다.
② 수요량이란 주어진 가격에서 사고자하는 양이다.
③ 가격과 수요량은 양(+)의 관계가 있다.
④ 수요곡선의 높이는 한계지불의사금액을 의미한다.

○04 | 수요와 공급에 대한 설명으로 적절하지 않은 것은?

① 수요법칙에 의해 가격이 상승하면 수요량은 감소한다.
② 소비가 증가할수록 한계지불의사금액은 상승한다.
③ 우상향하는 공급곡선, 즉 공급법칙은 한계비용 증가와 관련
이 있다.
④ 기펜재는 가격이 상승하면 수요가 증가한다.

○05 | 공급에 대한 설명 중 가장 거리가 먼 것은?

① 수요법칙의 적용에는 기펜재와 같이 예외가 있지만 공급법
칙은 예외 없이 모든 경우에 적용된다.
② 공급곡선의 높이는 한계수용의사금액을 의미한다.
③ 일반적으로 가격이 상승하면 공급량은 증가한다.
④ 일반적으로 공급곡선은 우상향하는 형태로 그려진다.

06 | 다음 중 수요곡선이 우하향하는 이유로 옳은 것은?

① 소비 증가에 따른 한계지불의사금액 상승
② 한계효용(편익)체감의 법칙
③ 한계비용체증의 법칙
④ 파레토 최적

07 | 다음 중 공급곡선이 우상향하는 이유로 옳은 것은?

① 공급 증가에 따른 한계수용의사금액 하락
② 한계비용 증가
③ 한계편익체감의 법칙
④ 평균비용 증가

08 | 다음 중 가격이 하락하면 수요량이 감소하는 것은?

① 자유재   ② 기펜재
③ 정상재   ④ 열등재

09 | 수요곡선과 가장 밀접한 것은?

① 한계비용
② 한계편익(효용)
③ 한계수용의사금액
④ 한계생산

10 | 수요와 공급에 대한 설명 중 옳지 않은 것은?

① 수요법칙이 적용되지 않는 것은 기펜(Giffen)재이다.
② 수요곡선은 가격에 대하여 소비자들이 의도하는 구입계획을 나타낸다.
③ 시장수요곡선은 개별수요곡선을 수평으로 합하여 도출한다.
④ 가격과 공급량 간에는 음(-)의 관계가 있다.

11 | 다음 중 시장과 관련이 가장 적은 것은?

① 수요자
② 공급자
③ 가격
④ 정부

12 | 수요와 공급에 대한 설명으로 옳은 것은?

① 수요곡선은 주어진 가격에서 얼마나 많은 양을 공급할 의향이 있는지를 보여준다.
② 시장공급곡선은 우하향하며 가격이 상승할수록 공급량은 감소함을 보여준다.
③ 시장수요곡선은 개별수요곡선을 수직으로 합하여 도출한다.
④ 공급계획은 가격과 공급량의 관계가 양(+)임을 보여준다.

05강 시장균형가격 결정과 변동

C KEY 01 시장균형가격의 결정

1. 균형가격 결정

① 균형
- 외부충격이 없다면 변화가 없이 지속되는 상태

② 완전경쟁시장에서의 균형가격 결정
- 수요곡선과 공급곡선 일치하는 부분에서 균형이 이루어짐
: 이 교차점에서 수요량과 공급량이 같아짐
: 균형거래량, 균형가격이 결정됨
- 시장청산가격과 균형가격
: 공급된 상품이 구매자에 의해 전부 구매되므로 시장청산가격이라고도 함
- 균형이 달성되면 외부충격이 없을 경우 그 상태는 지속됨
: 최적상태를 달성하기 위해 행동을 수정 및 변화시키지 않음
: 가격과 거래량을 변화시킬 유인이 없음

KEY 02 초과수요와 초과공급

1. 초과수요
① 수요량이 공급량보다 많은 상태
• 가격이 시장균형가격보다 낮을 경우 발생
• 구매자는 더 높은 가격 제시함 → 시장가격 상승

2. 초과공급
① 공급량이 수요량보다 많은 상태
• 가격이 시장균형가격보다 높을 경우 발생
• 판매자는 가격을 인하함 → 시장가격 하락

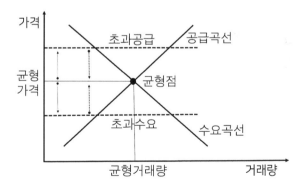

비교정태분석과 그래프 이동

- Ceteris Paribus
: 다른 모든 조건이 동일하다고 가정
: 특정 요소에 의한 변화를 이해하고 설명하기 위해 변화에 영향을 주는 다른 요소가 변하지 않는다고 가정
- 수요 = f(가격, 연관재 가격, 소득, 취향과 기호, 미래기대)
: 수요자 수의 변화, 연관된 상품의 가격변화, 소득변화, 기호의 변화, 기대의 변화, 계절적 요인, 가계지출의 비중 등이 요인
: 가격이 변할 때 수요량 변화 → 수요곡선 상의 이동
: 가격 이외 변수가 변하면 수요 변화 → 수요곡선 자체 이동
- 공급 = f(가격, 생산요소가격, 생산기술, 미래기대)
: 공급자 수의 변화, 생산요소가격변화, 기술변화, 기대변화 등
: 가격이 변할 때 공급량 변화 → 공급곡선 상의 이동
: 가격 이외 변수가 변하면 공급 변화 → 공급곡선 자체 이동
- 증가는 오른쪽(right)으로 이동, 감소는 왼쪽(left)으로 이동
- 비교정태분석
: 시간 변화를 고려하지 않고 한 균형상태와 다른 균형상태를 비교하여 균형가격과 균형거래량이 얼마나 변화했는지를 비교

NOTE 그래프 이동 Plus 정리

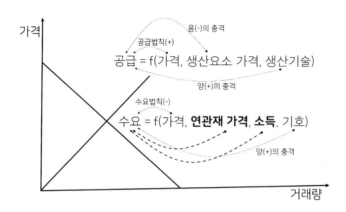

■ 연관재 가격의 변화와 그래프 이동

: 대체재(substitutes) 가격과 원 재화 수요는 같은 방향으로 움직임 → 라면(원 재화)과 대체관계에 있는 국수의 가격이 오르면 라면수요는 증가함 → 라면수요곡선은 우측 이동

: 보완재(complements), 동시 소비) 가격과 원 재화 수요는 반대 방향으로 움직임 → 라면(원 재화)과 보완관계에 있는 김치의 가격이 오르면 라면수요는 감소함

→ 라면수요곡선은 좌측 이동

■ 소득의 변화와 그래프 이동

: 정상재는 소득과 같은 방향으로 움직임

: 열등재는 소득과 반대 방향으로 움직임

→ 소득이 증가할 경우, 열등재인 돼지고기 수요는 감소하고 정상재인 소고기 수요는 증가함

→ 돼지고기 수요곡선 좌측이동, 소고기 수요곡선 우측 이동

05강 ‖ 문제풀이 연습

01 | 시장의 수요와 공급에 대한 설명 중 옳지 않은 것은?

① 초과수요가 발생하면 시장가격은 상승한다.
② 균형가격은 수요량과 공급량이 일치할 때 형성된다.
③ 공급이 증가하면 공급곡선은 오른쪽으로 이동한다.
④ 수요가 증가하면 수요곡선은 왼쪽으로 이동한다.

02 | 공급의 결정요인과 가장 연관성이 적은 것은?

① 연관재의 가격   ② 생산요소의 가격
③ 해당재화 가격   ④ 생산기술

03 | 다음 설명 중 가장 옳은 것은?

① 시장수요곡선이 우하향하고 공급곡선이 수직일 때, 수요곡선이 이동하면 균형거래량은 불변이고 균형가격만 변화한다.
② 시장수요곡선이 우하향하고 공급곡선이 수평일 때, 수요가 증가하면 균형거래량이 감소하고 균형가격은 상승한다.
③ 어떤 상품에 대한 기호의 변화는 공급곡선을 이동시킨다.
④ 연관된 다른 재화의 가격변화는 공급곡선을 이동시킨다.

04 | 어느 재화의 가격이 상승할 것이라고 예상(기대)하는 경우, 수요와 공급은 각각 어떻게 변화하는가?

① 수요증가, 공급증가
② 수요감소, 공급증가
③ 수요감소, 공급일정
④ 수요증가, 공급감소

05 | 완전경쟁시장에서 수요와 공급에 대한 설명으로 옳지 않은 것은?

① 공급곡선은 한계편익을 의미한다.
② 균형가격보다 낮은 수준에서 초과수요가 발생한다.
③ 균형가격은 수요곡선과 공급곡선이 만나는 점에서 결정된다.
④ 시장에서 수요량이 가격과 무관하게 변할 수 있다.

06 | 수요와 공급에 대한 다음 설명 중 옳지 않은 것은?

① 수요곡선은 한계편익을 의미한다.
② 균형가격보다 가격이 높은 경우 초과공급이 발생한다.
③ 초과공급이 발생하면 가격은 상승한다.
④ 수요가 증가하면 수요곡선이 오른쪽으로 이동한다.

07 | 수요의 결정 원인으로 가장 거리가 먼 것은?

① 연관재의 가격
② 생산기술
③ 그 재화의 가격
④ 소비자의 기호

○08 │ 다음 설명 중 옳지 않은 것은?

① 소득이 증가해도 수요는 감소할 수 있다.
② 균형가격과 균형거래량은 미시경제학의 분석대상이다.
③ 경제학은 욕망에 비해 충족수단인 자원이 무한하다는 데에서 출발한다.
④ 균형가격에서는 초과수요나 초과공급이 발생하지 않는다.

○09 │ 정상재일 경우, 소득이 증가하고 동시에 임금이 상승했다고 하자. 균형거래량과 균형가격의 변화로 옳은 것은?

① 균형가격은 상승하고 균형거래량은 단정할 수 없다.
② 균형가격은 하락하고 균형거래량은 단정할 수 없다.
③ 균형가격은 단정할 수 없고 균형거래량은 증가한다.
④ 균형가격은 단정할 수 없고 균형거래량은 감소한다.

○10 │ 다른 조건이 동일할 때, 소비자의 기호가 감소했다. 균형가격과 균형거래량의 변화로 옳은 것은?

① 균형가격 하락, 균형거래량 감소
② 균형가격 상승, 균형거래량 감소
③ 균형가격 하락, 균형거래량 증가
④ 균형가격 하락, 균형거래량 증가

11 | 정상재일 경우, 소득이 증가하고 동시에 기술진보가 되었다고 하자. 균형거래량과 균형가격의 변화로 옳은 것은?

① 균형가격은 단정할 수 없고 균형거래량은 감소한다.
② 균형가격은 상승하고 균형거래량도 증가한다.
③ 균형가격은 단정할 수 없고 균형거래량은 증가한다.
④ 균형가격은 하락하고 균형거래량은 증가한다.

12 | 다음의 설명 중 가장 옳지 않은 것은?

① 다른 요인이 변하지 않을 때, 오직 시장가격에 의해 초래된 변화를 수요량 변화, 공급량 변화라고 하며 수요와 공급 곡선 상의 이동이 이루어진다.
② 가격 이외의 다른 요인이 변했을 때에 초래된 변화를 수요변화, 공급변화라고 하며 수요와 공급곡선 자체의 이동이 이루어진다.
③ 임금 등의 생산요소의 가격이 하락하면 수요곡선이 오른쪽으로 이동한다.
④ 기술진보가 이루어지면 공급곡선이 오른쪽으로 이동한다.

13 | 수요의 결정요인과 가장 연관성이 적은 것은?

① 연관재의 가격   ② 소득
③ 생산요소 가격   ④ 해당재화의 가격

06강 수요와 공급이론의 응용

KEY 01 소비자 잉여

1. 소비자 잉여(Consumer's Surplus)
① 소비자 잉여의 개념
• 소비자가 최대지불해도 좋다고 여기는 가격에서 실제 지불하는 가격을 뺀 차액
: 수요곡선 아래와 가격선 위의 면적
: 소비자 잉여 = 한계지불의사금액 - 실제 지불한 금액
• 소비자들의 경제후생 측정에 활용

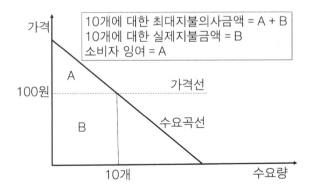

◯KEY 02 생산자 잉여

1. 생산자 잉여(Producer's Surplus)
① 생산자 잉여의 개념
• 공급자(생산자)가 어떤 상품을 판매해 최소한 보상받아야겠 다고 생각한 수입과 실제로 판매해 얻은 수입과의 차액
: 공급곡선 위와 가격선 아래 면적
: 생산자 잉여 = 실제 받은 금액 - 한계수용의사금액
• 생산자들의 경제후생 측정에 활용

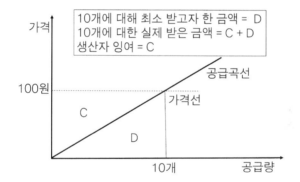

✅₊ 사회적 잉여

▪ 사회적 잉여
: 시장 전체 소비자 잉여와 생산자 잉여를 합한 것
▪ 균형에서 사회적 잉여 극대화
: 사회적 잉여 = 소비자 잉여 + 생산자 잉여
▪ 균형에서 파레토 효율성 달성
: 완전경쟁시장의 균형에서 수요자와 공급자는 더 이상 모두의
효용과 이윤을 증가시키는 방법이 없어짐

QUIZ **10** 다음 설명 중 (   )에 각각 가장 알맞은 말은?

수요곡선의 높이는 한계지불의사금액, 즉 어떤 상품을 한
단위 더 소비하고자 할 때 지불하고자 하는 가장 높은 가격
을 의미한다. 수요량이 늘어날수록 한계지불의사금액은 낮
아지는데, 이는 (   ) 때문이다. 한계지불의사금액과 시
장가격의 차이로 (   )를 계산할 수 있다.

① 한계비용체증-소비자 잉여 ② 한계비용체감-생산자 잉여
③ 한계효용체증-사회적 잉여 ④ 한계효용체감-소비자 잉여

KEY 02 가격통제(1) - 최고가격제

1. 최고가격제(가격상한제)

① 시장 균형가격보다 낮게 설정

• 공급량 감소에 따른 초과수요 발생

• 균형가격이 바람직한 수준보다 높게 형성되었을 때 실시

: 생필품 등이 절대적으로 부족한 경우 물가안정과 소비자 보호 목적으로 실시

• 암시장 발생과 사회후생(사회복지) 감소

② 가격상한제의 대표적 예

• 이자율상한제, 분양가상한제, 아파트임대료 규제, 대중교통요금

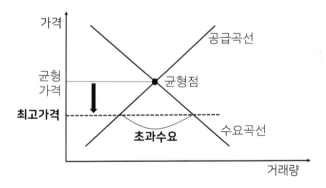

KEY 03 가격통제(2) - 최저가격제

1. 최저가격제(가격하한제)
① 시장 균형가격보다 높게 설정
• 수요량 감소에 따른 초과공급 발생
• 균형가격이 바람직한 수준보다 낮게 형성되었을 때 실시
: 상품생산자 이익을 보호하기 위해 실시
• 암시장 발생과 사회후생(사회복지) 감소
② 가격하한제의 대표적인 예
• 농산물 가격지지제(이중곡가제)
• 최저임금제(비자발적 실업 증가)

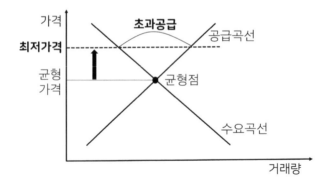

문제풀이 연습

01 │ 생산자의 한계수용의사금액과 시장에서의 실제 가격과의 차이에서 발생하는 생산자의 이득을 무엇이라 하는가?
① 사회적 잉여　　　　　　　　② 생산자 잉여
③ 소비자 잉여　　　　　　　　④ 수요자 잉여

02 │ 소비자의 한계지불의사금액과 시장에서의 실제지불가격과의 차이에서 발생하는 소비자 이득을 무엇이라 하는가?
① 사회적 잉여　　　　　　　　② 생산자 잉여
③ 소비자 잉여　　　　　　　　④ 공급자 잉여

03 │ 가격통제에 대한 다음 설명 중 옳지 않은 것은?
① 최저임금제는 가격하한제의 한 예이다.
② 분양가상한제를 실시하면 초과수요가 발생한다.
③ 최저임금제를 실시하면 자발적 실업이 증가한다.
④ 분양가상한제는 아파트가격 상승을 억제하기 위한 정책이다.

04 | 시장에서 발생하는 다음 내용 중 틀린 것은?

① 최고가격제를 실시하면 초과수요로 암시장이 발생한다.

② 가격상한제나 가격하한제는 자원배분의 효율성을 높이기 위한 정책수단이다.

③ 균형가격보다 높게 설정된 가격상한규제는 의미가 없다.

④ 최저가격은 균형가격보다 높게 설정되어야 정책적 효과가 있다.

05 | 다음 설명 중 ( )에 각각 가장 알맞은 말은?

> 공급곡선의 높이는 한계수용의사금액, 즉 어떤 상품을 한 단위 더 생산하고자 할 때 받고자 하는 가장 낮은 가격을 의미한다. 공급량이 늘어날수록 한계수용의사금액은 높아지는데, 이는 (   ) 때문이다. 한계수용의사금액과 시장가격의 차이로 (   )를 계산할 수 있다.

① 한계비용 감소 - 소비자 잉여

② 한계편익 체감 - 생산자 잉여

③ 한계효용 체증 - 사회적 잉여

④ 한계비용 증가 - 생산자 잉여

06 | 다음 서술 중 틀린 것은?

① 가격하한제를 실시하면 초과공급이 발생한다.

② 최저임금제는 비자발적 실업을 해소하는데 효과적이다.

③ 가격하한제는 균형가격이 바람직한 수준보다 낮게 형성되어 있을 때 실시한다.

④ 최고가격제일 때 가격상한(최고가격)은 시장에서 결정된 균형가격보다 낮게 설정된다.

07 | 다음 설명 중 옳지 않은 것은?

① 부동산시장에서 분양가를 규제하는 것은 가격상한제(최고가격제)의 일종이다.

② 최저임금제는 가격하한제(최저가격제)의 일종이다.

③ 가격하한제를 실시하면 초과공급이 발생하기 쉽다.

④ 가격상한제를 실시할 때 가격상한(최고가격)은 시장균형보다 높게 설정한다.

08 | 다음 서술 중 옳지 않은 것은?

① 균형이란 외부충격이 없다면 변화 없이 지속되는 상태이다.

② 가격하한제를 실시하면 초과수요가 발생하기 쉽다.

③ 가격통제를 실시하면 사회후생수준은 감소한다.

④ 완전경쟁시장의 균형에서 사회적 잉여는 극대화된다.

09 다음 설명 중 가장 옳지 않은 것은?

① 공급이 증가하면 공급곡선은 왼쪽으로 이동한다.
② 시장균형임금보다 높은 수준으로 최저임금제를 실시하면 비자발적 실업이 증가한다.
③ 시장 전체 소비자 잉여와 생산자 잉여를 합한 것을 사회적 잉여라고 한다.
④ 균형가격에서는 시장에 공급된 모든 상품이 소비된다.

10 가격통제와 관련된 설명 중 옳은 것은?

① 최저임금제는 임금의 하한을 시장가격보다 낮게 설정하는 것이다.
② 분양가상한제는 신규아파트 분양가의 상한을 시장가격보다 높게 설정하는 것이다.
③ 아파트 분양가 상한제를 실시하면 아파트에 대한 초과수요가 발생한다.
④ 이자율상한제와 최저임금제의 실시는 시장의 효율성을 높이기 위한 정책이다.

07강 시장교환의 장점

(KEY 01 시장교환의 이유

1. 시장교환
① 왜 시장에서 교환행위를 하는가?
• 시장경제체제에서 자발적 수요자와 공급자 간의 교환행위를
통해 상호 간의 이득을 제공하기 때문
② 개인 간의 교환행위
• 교환의 이득(사회후생) = 생산자 잉여 + 소비자 잉여
: 지불하는 가격보다 효용이 크기 때문에 소비자 잉여 발생
: 가격보다 생산원가가 작기 때문에 생산자 잉여 발생
: 수요자와 공급자 모두에게 이익
: 시장에서의 교환이 없으면 잉여도 없음
③ 국가 간의 교환행위(국제무역)
• 양국의 상호이득을 위한 자발적 교환행위
: 상대국보다 작은 기회비용이 드는 품목은 수출함
: 상대국보다 큰 기회비용이 드는 품목은 수입함
: 수출의 경우 국내 생산자 잉여가 증대됨
: 수입의 경우 국내 소비자 잉여가 증대됨
: 그러므로 수출국과 수입국 모두에게 이익이 됨

C KEY 02 생산가능곡선

1. 생산가능곡선(Production Possibility Curve, PPC)

① 생산가능곡선의 개념

• 다른 상품의 주어진 생산수준에서 한 상품의 최대 생산량을
보여주는 곡선

: 주어진 생산자원과 기술로 최대한 생산할 수 있는 산출물의
조합을 나타내는 곡선

② 생산가능곡선의 모양과 해석

• 일반적으로 원점에 대하여 오목한 모양

: 특수한 경우 우하향 직선, 원점에 대해 볼록한 모양도 가능

• 생산가능곡선 내부 점들 → 생산가능하나 비효율적 생산

• 생산가능곡선상의 점들 → 생산가능하면서 생산효율성 달성

• 생산가능곡선 외부 점들 → 생산불가능한 영역

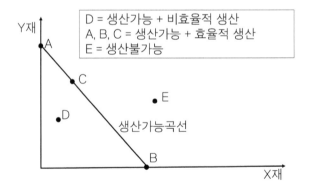

NOTE 생산가능곡선의 기울기와 기회비용

▪ 우하향하는 생산가능곡선
: 자원의 희소성으로 인해 한 재화를 더 생산하기 위해선 다른 재화 생산은 포기해야 함을 의미
▪ 생산가능곡선의 기울기는 기회비용을 의미함

▪ 수평축 X재의 기회비용 = $\dfrac{수직축\ Y재의\ 생산감소분}{수평축\ X재의\ 생산증가분}$

: X재의 기회비용이 2이라는 것은 X재 한 단위 더 생산하기 위해 포기해야 하는 Y재의 단위가 두 단위임을 의미함

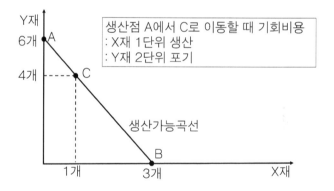

Y재

6개 A

생산점 A에서 C로 이동할 때 기회비용
: X재 1단위 생산
: Y재 2단위 포기

4개 ---- C

생산가능곡선

B

1개   3개   X재

QUIZ **11** 다음 중 생산가능곡선과 가장 거리가 먼 것은?

① 기회비용   ② 자원의 희소성과 선택의 필요성
③ 부존자원   ④ 시장가격(보이지 않는 손)

국제무역과 국내교역의 차이

▪ 공통점
: 상호이득을 통해 발생하는 자발적 교환행위
▪ 차이점 - 지불수단의 차이
: 국내교역은 외국 돈이 필요하지 않음
: 국제무역은 외국 돈이 필요 → 국제시장에서 널리 통용되는 외환인 기축통화(key currency)를 주로 사용
▪ 차이점 - 국제수지(무역격차, 무역수지) 조정의 문제
: 일국 안에서의 교역격차와 국가 간 무역격차의 해소문제
: 한 나라 안에서의 지역별 교역격차는 비교적 쉽게 조정가능
: 국가 간 무역격차는 쉽게 조정되지 않음

QUIZ **12** 생산가능곡선에 대한 설명으로 옳은 것은?

① 생산가능곡선의 바깥 점에서 생산한다면 이 점은 달성 가능하며 효율적인 점이다.
② 생산가능곡선 내부의 한 점에서 생산이 이루어질 때 자원이 모두 이용되어 생산이 효율적이다.
③ X재를 한 단위 더 생산할 때 Y재 생산이 두 단위 감소한다면, X재 생산의 기회비용은 두 단위의 Y재가 된다.
④ 기술진보는 사회의 생산가능곡선을 원점에서 먼 위치로 이동시킨다.

KEY 03 절대우위와 비교우위의 개념

1. 절대우위(absolute advantage)
① 절대우위 개념
- 단위당 생산에 대한 생산요소의 투입량이 적을 때
- 다른 생산자에 비해 더 적은 양의 생산요소를 투입하여 생산할 수 있는 능력

	자동차	비행기
한국	노동 2단위 필요	노동 4단위 필요
미국	노동 3단위 필요	노동 1단위 필요

: 비교를 1번만 함(국가 간 비교)
: 한국은 자동차 생산에 절대우위 → 자동차를 수출함
: 미국은 비행기 생산에 절대우위 → 비행기를 수출함

2. 비교우위(comparative advantage)
① 비교우위의 개념
- 한 개인, 기업, 국가가 어떤 상품을 다른 생산자들에 비해 더 낮은 기회비용으로 생산할 수 있는 능력
- 기회비용
: 해당 경제활동을 하기 위해 희생되는 경제활동

KEY 04 무역, 기회비용과 비교우위

1. 무역과 비교우위

① 무역의 발생

• 무역은 상호이득으로 인해 자발적으로 발생

• 상호이득의 발생 이유

: 비용의 차이 = 생산에 필요한 노동투입비중 차이

: 상이한 기회비용 → 상이한 비교우위

• 두 사람(기업, 국가)이 상대적으로 비교우위에 있는(기회비용이 낮은) 것을 완전 전문화(특화)하여 생산 후 교환하면 두 사람 모두에게 이익이 됨

• 무역(교환)은 절대우위가 아니라 비교우위에 의해 발생

: 비교우위는 기회비용에 따라 결정 됨

• 모든 재화생산에 절대우위가 있는 국가라 할지라도 비교우위에 있는 재화의 생산에 완전 전문화하여 교역을 하면 양국 모두 이득을 볼 수 있음

	자동차	비행기
한국	노동 3단위 필요	노동 4단위 필요
미국	노동 2단위 필요	노동 1단위 필요

: 비교를 2번 함(국가간 비교와 상품간 비교)

: 한국은 자동차와 비행기 생산에 모두 절대열위

: 한국은 자동차 생산에 비교적 덜 절대열위 → 비교우위

: 미국은 비행기 생산에 비교적 더 절대우위 → 비교우위

교역조건과 기회비용

▪ 교역조건
: 국제무역에서 양국 간에 두 재화의 교환비율
: 수출상품 한 단위와 교환되는 수입상품의 단위
: 기회비용의 상대적 크기가 교역조건을 결정
: 상대국보다 기회비용이 작은 품목은 수출하고, 기회비용이 큰 품목은 수입함
: 수출은 국내생산자 잉여, 수입은 국내소비자 잉여를 증가시킴

 비교우위 결정요인

▪ 일국의 비교우위 결정 요인
: 기후의 차이, 계절적 요인, 천연(자연)자원의 부존량
: 인적자원 보유량(노동의 양과 질, 물적 자본, 생산기술수준)
▪ 비교우위 결정요인의 다양성과 가변성
: 비교우위는 시간에 따라 변할 수 있음

[QUIZ] **13** 다음 중 비교우위 결정요인과 거리가 먼 것은?

① 국내 총생산   ② 생산기술
③ 노동량 차이   ④ 물적 자본

국제무역을 반대하는 이유

▪ 유치산업의 보호
▪ 완전 전문화(자신이 비교우위에 있는 것만 생산하고 교역하는 것)가 경제적 효율성을 달성하게 하지만 국가 안보관점에서 최적이 아닐 경우
▪ 무역을 통한 글로벌화(세계화)에 의해 고유한 문화체제 유지가 어려워짐에 대한 불안감
▪ 환경문제에 대한 우려
: 저개발국은 느슨한 환경규제정책에 따라 오염도피처로 전락할 수 있음

[QUIZ] **14** 다음 설명 중 옳지 않은 것은?

① 무역은 절대우위에 의해 발생한다.
② 무역은 비교우위에 의해 발생한다.
③ 비교우위는 기회비용에 따라 결정된다.
④ 비교우위는 다른 생산자들보다 더 낮은 기회비용으로 생산할 수 있는 능력이다.

01 다음 중 생산가능곡선과 가장 거리가 먼 것은?

① 한 재화를 더 많이 생산하기 위해서는 다른 재화의 생산이 감소한다는 사실을 보여준다.

② 주어진 생산수준에 대하여 한 재화의 최대 생산량을 보여주는 곡선이다.

③ 생산가능곡선의 기울기는 한 상품을 추가적으로 생산할 때 포기해야 하는 다른 상품의 수를 나타낸다.

④ 생산가능곡선 내부의 한 점에서 생산한다면 이는 달성가능하고 동시에 효율적으로 생산하는 것이다.

02 자원이 희소하여 사회가 필요로 하는 물자를 무한정 많이 생산할 수 없다는 사실과 가장 관련이 깊은 것은?

① 무차별곡선　　　　　　② 생산가능곡선
③ 총생산곡선　　　　　　④ 총수요곡선

03 다음 중 비교우위 결정 요인과 가장 거리가 먼 것은?

① 기후의 차이　　　　　　② 천연자원의 부존량
③ 계절적 요인　　　　　　④ 1인당 GDP

◯ 04 | 국제무역에 관한 다음 설명 중 옳은 것은?

① 상대국보다 작은 기회비용이 드는 품목은 수입한다.
② 상대국보다 큰 기회비용이 드는 품목은 수출한다.
③ 교역조건을 결정하는 것은 기회비용의 상대적 크기이다
④ 자유무역의 결과 한 나라의 이득은 결국 상대국의 손해가 된다.

◯ 05 | 다음 설명 중 옳지 않은 것은?

① 생산가능곡선 상의 모든 점은 생산효율성을 충족시킨다.
② 생산가능곡선 내부의 생산은 효율성을 충족시키지 못한다.
③ 국제무역은 절대우위가 아니라 비교우위에 의해 이루어진다.
④ 모든 재화를 상대국보다 적은 생산요소로 생산할 수 있다면 이 나라는 국제무역을 할 필요가 없다.

◯ 06 | 자본주이 시장경제체제에 대한 설명 중 틀린 것은?

① 자발적 교환행위는 공급자와 수요자 모두에게 이익이 된다.
② 시장에서 교환의 결과는 zero sum 게임이다.
③ 교환에서 발생하는 소비자 잉여와 생산자 잉여의 합이 교환의 이득이다.
④ 교환이 없으면 잉여도 없다.

07 | 생산과 교환에 대한 다음 설명 중 옳지 않은 것은?

① 생산가능곡선은 주어진 자원과 기술로 최대한 생산할 수 있는 산출물의 조합을 나타내는 곡선이다.
② 다른 생산자에 비해 더 낮은 기회비용으로 생산할 수 있다면 절대우위에 있다.
③ 상대국보다 작은 기회비용이 드는 품목을 수출한다.
④ 자유무역을 하면 양국이 모두 이익을 볼 수 있다.

08 | 시장경제체제에 대한 설명 중 옳은 것은?

① 시장교환에 따른 이득의 크기는 생산자 잉여이다.
② 자발적 교환이 이루어진다면 사는 사람과 파는 사람 모두에게 이익이 된다.
③ 시장에서 교환의 결과는 Zero Sum 게임이다.
④ 시장교환에 따른 이득의 크기는 소비자 잉여이다.

09 | 생산가능곡선과 국제무역에 대한 설명 중 옳은 것은?

① 상대국보다 기회비용이 적게 드는 품목을 수입한다.
② 무역은 절대우위에 의해 이루어진다.
③ 자유무역을 하면 수출국이 이득이고 수입국은 손해이다.
④ 생산가능곡선 상의 모든 점은 생산효율성을 충족시킨다.

10 | 큰 다음 표는 한국과 미국의 X재와 Y재 두 생산물의 1단위당 노동투입량을 나타낸다. 가장 옳은 것은?

	X재	Y재
한국	노동 6단위 필요	노동 8단위 필요
미국	노동 10단위 필요	노동 15단위 필요

① 한국은 X재 수출, 미국은 Y재 수출
② 한국은 Y재 수출, 미국은 X재 수출
③ 한국이 X, Y재 모두 수출
④ 무역이 발생하지 않음

11 | 무역과 관련된 다음 설명 중 가장 옳은 것은?

① 비교우위는 후천적 자원뿐만 아니라 부존자원의 차이에서도 발생한다.
② 상품차별화로 인한 교역은 선진국들 사이보다는 선진국과 후진국들 사이에서 더 많이 이루어지고 있다.
③ 비교우위가 있더라도 절대적 열위에 있는 상품은 상대국에 수출할 수 없다.
④ 무역은 절대우위원리에 의하여 이루어진다.

12 | 다음 ( )에 가장 알맞은 각각의 용어로 틀린 것은?

특정상품을 다른 생산자에 비해 더 적은 (㉠)으로 생산하는 경우 (㉡)가 있다고 한다. 그리고 특정상품을 다른 생산자에 비해 더 적은 생산요소를 투입해서 생산할 수 있을 때 (㉢)에 있다고 한다.

① ㉠ - 기회비용   ② ㉡ - 비교우위
③ ㉢ - 비교우위   ④ ㉢ - 절대우위

13 | 국제무역에 대한 반대 이유로 거리가 먼 것은?

① 경쟁자로부터의 유치산업 보호
② 고유한 문화체제의 유지
③ 완전 전문화를 통한 효율성 달성
④ 국가안보와 환경문제에 대한 우려

14 | 다음 설명 중 가장 옳지 않은 것은?

① 비교우위를 결정하는 요인들은 가변적이다.
② 자신이 비교우위에 있는 것만 생산하고 교역하는 것을 완전 전문화라고 한다.
③ 교역조건이란 국제시장에서 두 재화의 교환비율을 말한다.
④ 국제무역에서 발생하는 무역격차는 쉽게 조정된다.

◯15 │ 다음 보기를 참고할 때 가장 옳은 것은?

> 노동이 유일한 생산요소 일때, A국의 노동자는 1시간에 쌀 8kg 또는 옷 4벌을 생산할 수 있다. B국의 노동자는 1시간에 쌀 6kg 또는 옷 12벌을 생산할 수 있다.

① A국의 노동자는 옷 생산에, B국의 노동자는 쌀 생산에 비교우위를 갖는다.
② A국의 노동자는 옷 생산에, B국의 노동자는 쌀 생산에 특화를 한 후, 교역을 하는 것이 양국에 이득이 된다.
③ A국의 노동자는 옷 1벌을 생산하기 위해 쌀 3kg 생산을 포기한다.
④ B국의 노동자는 옷 1벌을 생산하기 위해 쌀 1/2kg 생산을 포기한다.

◯16 │ 다음 설명 중 가장 옳지 않은 것은?

① 공급곡선은 한계수용의사금액을 보여준다.
② 한계효용 또는 한계편익이 체감하므로, 수요량이 늘어남에 따라 한계지불의사 금액은 상승한다.
③ 어느 두 재화를 모두 직접 생산할 때보다 전문화에 의한 무역을 할 때 두 재화를 더 많이 소비할 수 있게 된다.
④ 한계비용이 체증하므로, 공급량이 늘어남에 따라 한계수용의사금액은 상승한다.

17 | 다음의 경제학 관련 설명 중 옳지 않은 것은?

① 주어진 가격에서 수요량이 공급량을 초과하면 가격이 상승하게 된다.

② 무역은 절대우위에 의해 발생한다.

③ 소비자는 가격이 하락하면 수요 곡선을 따라 수요량을 증가시킨다.

④ 다른 조건이 동일할 때, 주어진 가격과 공급량의 관계를 공급 계획이라고 한다.

18 | 다음 설명 중 가장 옳은 것은?

① 경제학에서 주로 관심을 갖는 인간 활동은 생산, 분배, 소비, 도덕 등이다.

② 기회비용이 작은 상품을 수입하고 기회비용이 높은 상품을 수출하는 것이 유리하다.

③ 소비자 수의 증가와 보완재 가격의 하락은 수요를 증가시켜 수요 곡선을 우측으로 이동시키는 요인으로 작용한다.

④ 폐쇄경제체제의 주요한 경제 주체는 국가(정부), 가계, 기업, 국제기구이다.

08강 시장교환의 한계(1)

KEY 01 시장실패

1. 시장실패(market failure)
① 시장을 통한 거래
• 시장에서의 자유로운 거래 → 사회적 잉여가 극대화됨
② 시장실패
• 시장을 통한 자원배분이 효율적이지 못할 경우를 말함
: 보이지 않는 손(가격기구 역할)이 작동되지 못할 때 발생
: 완전경쟁 시장구조를 저해하는 요인 또는 완전경쟁 시장구조를 확보하더라도 외부성이나 공공재의 존재로 효율적 자원배분이라는 시장가격기구의 고유역할이 제대로 이루어지지 못하는 상황
• 보이지 않는 손
: 시장이 희소한 자원을 효율적으로 배분하는 역할로 가격기능을 말함

NOTE 시장실패의 원인

미시적 시장실패	• 자원배분의 효율성 문제 • 완전경쟁을 저해하는 요인으로 발생 : 독점산업, 평균비용 체감하는 규모의 경제로 인한 자연독점산업, 과점에서의 담합(카르텔) : 불완전 정보(비대칭 정보) : 위험과 불확실성 존재 • 재화의 고유한 특성 때문에 발생 : 재화의 외부효과 발생, 공공재적 성격 : 공유자원
거시적 시장실패	• 불공정한 소득분배와 빈부격차(형평성문제) • 경기변동(물가상승과 실업) • 국제수지불균형

※ 시장실패와 정부의 역할
: 시장실패의 결과에 대한 개선 역할 - 공공경제학, 재정학
: 공공재 공급, 공기업, 각종 규제 - 미시적 시장실패 교정
: 누진세, 보조금, 물가안정, 실업해소 - 거시적 시장실패 교정

QUIZ **15** 다음 중 시장실패의 원인이 아닌 것은?

① 외부경제   ② 비대칭 정보
③ 완전경쟁   ④ 공공재

C^{KEY}_{02} 외부효과

1. 외부효과(외부성, externality)

① 외부효과의 개념

• 시장경제 내부에서 소비자의 소비활동이나 생산자의 생산활동이 시장에 참여하지 않은 제3의 소비자나 생산자의 선택범위에 영향을 미쳐(의도하지 않은 편익이나 비용 발생) 무상으로 효용이나 생산의 증감을 유발하는 것

• 한 사람의 행위가 제3자의 경제적 후생에 영향을 미치지만 그에 대한 보상이 이루어지지 않는 현상

• 외부란 시장의 외부를 의미함

② 외부효과와 시장실패

• 시장의 경제주체는 외부효과를 고려하지 않고 의사결정을 하여 사회적 최적량보다 과소 혹은 과다 생산함에 따라 효율적 자원배분에 이르지 못하는 시장실패 발생

③ 외부경제와 외부불경제

• 편익 창출의 긍정적 외부효과를 외부경제라 함

: 혜택을 주는 것

• 비용 창출의 부정적 외부효과를 외부불경제라 함

: 손해를 끼치는 것

외부경제와 외부불경제

- 외부효과가 없는 경우
: 사회적 한계편익 = 사적 한계편익
: 사회적 한계비용 = 사적 한계비용
- 외부효과가 있는 경우

외부 경제	• 사회적 한계편익 > 사적 한계편익 • 사회적 한계비용 < 사적 한계비용 • 과소 생산과 소비 → 사회후생 감소 • 보조금 지급으로 해결
외부 불경제	• 사회적 한계편익 < 사적 한계편익 • 사회적 한계비용 > 사적 한계비용 • 과잉 생산과 소비 → 사회후생 감소 • 조세부과로 해결

QUIZ **16** 다음 중 가장 옳지 않은 것은?

① 외부경제가 있으면 사회적 최적생산량보다 적게 생산된다.
② 외부불경제가 발생하면 조세부과로 해결할 수 있다.
③ 외부경제가 있으면 사회적 한계편익이 사적 한계편익보다 작다.
④ 외부불경제는 시장실패의 주요한 원인이 된다.

08강 | 문제풀이 연습

01 | 다음 중 외부성과 가장 거리가 먼 것은?

① 외부불경제가 있는 경우 세금으로 내부화할 수 있다.
② 외부경제가 있는 경우 사회적 한계편익이 사적 한계편익보다 크다.
③ 외부불경제가 있는 경우 사회적으로 최적생산량보다 적게 생산된다.
④ 외부경제가 있는 경우 보조금으로 내부화할 수 있다.

02 | 꿀벌이 과수원에 주는 긍정적 효과 혹은 농원의 꽃재배가 근처 양봉업자에 미치는 효과와 관련 있는 것은?

① 규모의 경제   ② 외부경제
③ 외부불경제   ④ 규모의 불경제

03 | 다음 중 시장실패의 원인과 거리가 가장 먼 것은?

① 외부경제   ② 규모의 불경제
③ 공공재   ④ 불완전 정보

04 | 강 근처에 위치한 공장의 폐수로 인해 강물이 오염되었지만 아무런 대가를 지불하지 않은 경우와 관련 있는 것은?

① 범위의 경제
② 외부불경제
③ 규모의 경제
④ 외부경제

05 | 다음 중 시장실패의 원인에 해당하는 것은?

① 사적 이익 추구
② 외부경제
③ 사유재산제 시행
④ 완전경쟁

06 | 외부성과 관련하여 다음 설명 중 옳지 않은 것은?

① 외부불경제가 발생하면 사회적으로 최적생산량보다 많이 생산되는 비효율이 발생한다.
② 사회적 한계비용은 사적 한계비용에서 외부효과까지 포함한 한계비용을 말한다.
③ 사회적 한계편익은 사적 한계편익에서 외부효과를 포함한 한계편익을 말한다.
④ 외부경제가 발생하면 과잉생산이 이루어져 사회적 후생수준이 증가한다.

07 | 외부성에 대한 다음 설명 중 가장 옳은 것은?

① 외부경제가 발생하면 사회적 최적생산량보다 과다하게 생산되는 비효율이 초래된다.

② 외부불경제가 발생하면 보조금을 주어 외부성을 해결한다.

③ 외부불경제가 있으면 사적 한계비용은 사회적 한계비용보다 작다.

④ 외부경제가 있으면 사적 한계편익은 사회적 한계편익보다 크다.

08 | 다음 중 시장실패와 거리가 먼 것을 모두 고르면?

㉠ 경쟁	㉡ 규모의 경제	㉢ 외부성
㉣ 공공재	㉤ 사익추구	㉥ 완전정보
㉦ 외부경제	㉧ 외부불경제	㉨ 규모의 불경제
㉩ 불완전정보(비대칭정보)		
㉪ 독점과 과점 등의 불완전경쟁		

① ㉠, ㉥. ㉨   ② ㉡, ㉤, ㉩, ㉪

③ ㉣, ㉤, ㉨   ④ ㉠, ㉤, ㉥, ㉨

○09 다음 ( )에 알맞은 말은?

> 애덤 스미스에 따르면 개인들은 이기심을 추구하지만 가격을 통한 시장 메커니즘, 즉 ( )에 의해 사회구성원 전체의 이익이 초래된다.

① 공감   ② 보이지 않는 손   ③ 도덕   ④ 보이는 손

○10 다음 중 외부경제를 발생시키는 것은?

① 한강상류 공장   ② 서울북촌 한옥마을
③ 고속도로 과속   ④ 자동차의 운행

○11 다음 중 외부경제(external economy)를 바르게 설명하는 것은?

① 한 나라의 외부에서 이루어지는 경제행위를 말한다.
② 공해를 배출하는 공장으로 인해 주민 건강이 악화되는 경우가 대표적인 사례이다.
③ 시장실패의 요인 중 하나이다.
④ 거래비용을 증가시키는 효과를 갖는다.

12 | 다음 설명 중 가장 옳지 않은 것은?

① 외부경제가 발생하면 사회적 한계편익이 사적 한계편익보다 크다.

② 담장 없는 정원, 전염성 질병의 예방주사와 같은 것은 외부경제에 해당된다.

③ 외부경제란 소비활동이나 생산활동이 제3자에게 의도하지 않은 비용을 발생시켰지만 그에 대해 보상을 지불하지 아니하는 경우와 관련된다.

④ 공해, 매연, 과속, 흡연과 같은 것은 외부불경제에 해당된다.

13 | 다음 보기에서 (   )에 알맞은 것은?

> (   )가 발생하면 사회적 한계비용이 사적 한계비용보다 크지만 의사결정은 사적 한계비용에 기초하여 이루어지기 때문에 사회적으로 최적생산량보다 과다하게 생산되어 자원의 효율적 배분에 실패하게 된다.

① 규모의 경제   ② 외부경제
③ 외부불경제   ④ 범위의 경제

14 다음 중 긍정적 외부효과인 외부경제와 가장 거리가 먼 것은?

① 사회적 한계편익이 사적 한계편익보다 크다.
② 인접한 과수업자와 양봉업자의 관계가 대표적이다.
③ 시장 거래량에서는 사회적 후생의 증가가 발생한다.
④ 시장의 균형거래량이 사회적 최적거래량보다 작다.

15 다음 서술 중 가장 옳지 않은 것은?

① 생산자는 가격이 하락하면 공급곡선을 따라 공급량을 감소시킨다.
② 외부효과를 해결하기 위해 정부개입이 이루어진다. 이때 외부불경제를 해결하기 위해 이루어지는 것이 보조금 지급이다.
③ 경제학에서는 사회가 파레토 최적상태일 때, 사회적 효율성을 달성했다고 평가한다.
④ 수요량과 공급량이 일치하는 가격이 균형가격이다.

09강 시장교환의 한계(2)

KEY 01 외부효과 해결 - 정부의 직접규제

1. 외부효과와 정부의 직접적 규제
① 금지(배출금지)를 통한 외부불경제 치유
• 법으로 외부불경제 원인행위 금지시킴
• 연탄생산업의 매연 배출 금지
: 연탄생산업자는 매연방지시설 설치함 → 연탄의 사적 한계비용이 사회적 한계비용에 수렴
• 독극물 배출금지, 토지의 용도지정
② 환경오염 허용기준
• 오염물질 배출량이 기준치 이하가 되도록 규제
: 위반 시 벌과금을 부과함
: 기술적 어려움으로 비용이 많이 소요됨
③ 처방적 규제
• 특정 공해방지장치의 설치를 권고
• 공해 유발 원료를 사용하지 않도록 유도
• 오염배출방지시설 설치

KEY 02 외부효과 해결 - 시장유인을 통한 간접규제(1)

1. 조세나 보조금의 활용

① 외부경제 유발

• 보조금 지급(피구보조금)

② 외부불경제 유발

• 조세 부과(피구세, 교정세)

: 공해세, 배출부과금

: 조세부과로 비용을 부담시킴

→ 사회적 비용을 사적 비용으로 전환시킴

→ 한계비용곡선 상향 이동

→ 오염물질 배출 자제(균형생산량 감소)

2. 외부불경제 유발물질에 대해 시장을 설정(개설)

① 가격원리

• 효용을 얻으면 대가(가격지불)를 치르고 비효용일 경우 보상을 받는 급부·반대급부의 원리

② 외부불경제와 시장 개설

• 시장이 존재하지 않아서 비효용을 유발함에도 보상이 없음

: 외부성을 창출하는 재화의 시장을 정부가 개설해 줌으로써 내부화

: 오염배출권 시장 개설

: 과수원-양봉업(외부경제) → 꽃가루 시장 개설

KEY 03 외부효과 해결 - 시장유인을 통한 간접규제(2)

1. 재산권 설정과 협상

① 코즈 정리(Coase Theorem)

• 소유권(재산권) 설정의 부재

: 외부성의 존재가 자원의 효율적 배분 저해

: 외부효과에 대한 대가나 보상에 대한 법적 권리를 설정

→ 정부개입 없이 이해당사자간의 자발적 협상에 의해 외부
효과를 내부화

• 상호 협상에 의해 외부불경제/외부경제 내부화

: 외부경제/외부불경제 내용이 단순하고 가해자와 피해자가
아주 적을 때 효과적임

② 코즈 정리의 한계

• 협상비용 작아야 함

: 긴 시간 소요, 많은 이해관계자 수, 피해(외부성) 측정문제

: 가해자와 피해자가 불분명(당사자의 모호성)

QUIZ **17** 다음 중 외부효과를 내부화하기 위한 교정적 조
세나 보조금을 의미하는 것은?

① 지방세   ② 부가가치세

③ 피구세   ④ 국세

09강 | 문제풀이 연습

01 | 외부성에 대한 다음 설명 중 가장 옳지 않은 것은?

① 외부경제가 있으면 사회적 한계편익은 사적 한계편익보다 크다.

② 외부경제 발생주체에게 지원하는 보조금은 피구세에 해당된다.

③ 외부비경제가 발생하면 사회적으로 최적생산량보다 과소 생산되는 비효율이 발생한다.

④ 외부비경제가 있으면 사회적 한계비용은 사적 한계비용보다 크다.

02 | 외부효과로 인해 초래되는 비효율성을 민간이 협상을 통해 해결할 수 있다는 사실과 관련 있는 것은?

① 오일러 정리   ② 파레토 최적

③ 코즈 정리   ④ 효율적 임금가설

03 | 다음 중 외부성과 가장 관련이 적은 것은?

① 기회비용   ② 피구세   ③ 시장실패   ④ 코즈 정리

04 외부불경제가 존재할 때 나타나는 현상과 가장 거리가 먼 것은?

① 시장실패가 발생한다.

② 사회적 한계비용이 사적 한계비용보다 높다.

③ 코즈(Coase)정리는 정부개입 없이도 외부불경제가 해결될 수 있음을 보여준다.

④ 사회적 최적생산량보다 과소 생산된다.

05 외부효과를 해결하기 위한 정부의 개입과 가장 거리가 먼 것은?

① 조세의 부과   ② 직접적 규제
③ 보조금 지급   ④ 코즈 정리

06 외부효과와 관련한 다음 설명 중 옳은 것은?

① 외부불경제가 있으면 사회적 한계비용은 사적 한계비용보다 작다.

② 외부경제가 있으면 사회적 한계편익은 사적 한계편익보다 작다.

③ 피구세는 외부효과를 내부화하는 교정조세이다.

④ 외부불경제가 발생하면 사회적으로 최적생산량보다 적게 생산한다.

07 | 다음 중 외부불경제를 시장유인책으로 내부화해 환경오염을 줄이는 방법 거리가 먼 것은?

① 조세부과와 보조금 지급
② 환경오염기준 설정
③ 외부불경제 유발 물질에 대해 시장을 개설
④ 재산권 설정

08 | 다음 중 가장 옳지 않은 것은?

① 외부성이 발생하였을 때 정부개입 없이 민간이 협상을 통해 스스로 해결할 수도 있다.
② 외부불경제가 있는 경우 정부가 발생주체에게 세금을 부과함으로써 해결할 수 있다.
③ 외부경제 발생주체에게 지원하는 보조금은 피구세가 아니다.
④ 외부경제가 있는 경우 정부가 발생주체에게 보조금을 지원함으로써 해결할 수 있다.

09 | 다음 중 시장유인을 통한 간접적 환경오염규제정책과 가장 거리가 먼 것은?

① 오염배출부과금   ② 환경기준 설정
③ 오염방지보조금   ④ 재산권의 부여

⭕10 | 다음 ( ) 알맞은 용어는?

> 피구세(Pigouvian tax)는 (   )문제로 인한 시장실패를 해결하기 위한 교정조세이다.

① 공공재

② 불완전 정보

③ 외부성

④ 공유자원

⭕11 | 환경오염에 대한 코즈(R. Coase)의 주장 내용은?

① 환경오염에 대한 재산권(소유권) 부여

② 오염방지보조금의 지급

③ 환경오염 배출부과금제도의 강화

④ 정부의 오염방지시설에 대한 직접적 투자

⭕12 | 다음 중 외부성(외부효과)에 대한 서술로 옳은 것은?

① 외부경제가 있으면 사회적 한계편익은 사적 한계편익보다 작다.

② 외부경제 발생주체에게 주는 보조금은 피구세가 아니다.

③ 외부불경제가 있으면 사회적 한계비용은 사적 한계비용보다 작다.

④ 외부경제가 발생하면 사회적 최적생산량보다 과소 생산되는 비효율이 발생한다.

☝13│ 다음 설명 중 가장 옳지 않은 것은?

① 외부불경제가 존재하면 사회적 비용보다 사적 비용이 적고, 최적산출량보다 실제 산출량이 많다. 따라서 조세부과 등을 통해 생산감소를 강구해야 한다.

② 어떤 경제주체의 경제행위가 시장기구를 통하지 않고 다른 경제주체에게 불리한 영향을 주는 것을 외부불경제라고 한다.

③ 어떤 재화를 생산하는 데 공해가 발생한 경우, 기업에게 세금을 부과하여 사회적 비용과 사적 비용을 일치시키면 효율적이다.

④ 공해세를 부과하여 사적 비용을 사회적 비용 수준으로 증가시키는 것을 코즈 정리라고 한다.

☝14│ 다음 중 코즈 정리(Coase Theorem)를 설명한 내용으로 적절치 않은 것은?

① 정부의 적극적 개입에 의한 외부성 해결

② 외부효과에 대한 법적 권리를 설정함

③ 민간의 자발적 협상에 의해 외부효과를 내부화함

④ 작은 협상비용일 경우 효율적임

10강 시장교환의 한계(3)

KEY 01 공공재

1. 공공재(public goods)

① 공공재의 개념
- 사회적으로 필요하나 시장에서 생산되지 않음
: 재화의 특성으로 인해 공공기관(정부)이 공급

② 공공재의 특성

소비의 비경합성	• 한 개인의 소비가 타인의 소비를 저해하지 않는 것(영향을 주지 않음) • 여러 사람의 동시 소비 가능(한계비용 0) : 각 개인의 소비량은 생산량과 동일
소비의 비배제성	• 일단 개인이나 집단에 공급되면 그 혜택을 타인으로부터 배제시킬 수 없음(외부경제) • 무임승차의 문제 발생 : 소비로 혜택을 보지만 대가(비용)를 기꺼이 지불하려 하지 않음 : 효율적 자원배분을 저해하는 요인

NOTE 무임승차자 문제(free rider problem)

- 공공재에 대해 기꺼이 지불하려고 하는 액수만큼 조세부과
- → 사람들은 각자의 선호를 과소평가(선호를 왜곡)
- → 소비에 상응하는 가격지불을 회피하려고 함
- → 과소생산 및 생산중단
- → 시장실패 초래

QUIZ **18** 다음 중 무임승차자가 생겨서 시장실패가 발생하는 것과 가장 관련이 깊은 것은?

① 외부성 　　　　　　② 규모의 경제
③ 공공재 　　　　　　④ 비대칭정보

QUIZ **19** 다음 중 공공재에 대한 서술로 옳지 않은 것은?

① 공공재 때문에 시장실패가 발생한다.
② 국방, 치안, 가로등, 공원 같은 것이 공공재이다.
③ 다수의 소비자가 동시에 소비할 수 있다.
④ 소비에서 경합성과 비배제성이 존재한다.

KEY 02 공유자원

1. 공공재와 공유자원의 구분
① 공공재
• 배제성과 경합성이 없는 재화
② 공유자원
• 배제성은 없으나 경합성은 있는 재화
: 비배제성으로 누구나 공짜로 소비 → 필요보다 많이 소비
: 경합성으로 인해 누군가의 사용이 타인의 사용을 제한함

2. 공유지의 비극(공유자원의 비극)
① 개릿 하딘(주인 없는 목장)
• 모두가 사용가능한 공유자원을 아무도 아껴 쓰려고 하지 않아서 빠르게 고갈되거나 황폐해지는 현상
: 바닷속의 물고기 잡기, 혼잡한 시민공원, 혼잡한 무료도로
② 공유자원 비극의 근본 원인
• 공유자원이 어느 누구의 소유도 아니므로 발생
③ 공유자원 문제 해결
• 공유자원에 대해 정부가 소유(사유재산권)를 명확히 함
→ 사용자에게 세금 부과 및 각종 규제(어로행위 시기와 수량 정하기)

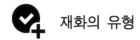 재화의 유형

		배제성	
		無	有
경합성	無	• 순수 공공재 : 국방, 치안	• 자연독점 : 전기, 유선방송
	有	• 공유자원 : 바닷속 물고기 : 혼잡한 시민공원 : 혼잡한 무료도로	• 사적재(민간재)

▪ 순수 공공재 - 국방, 법률, 치안, 방송망 등
: 한 경제 내의 모든 지역에 대해 공공재의 특성을 지님
▪ 지역 공공재 - 소방, 공원, 교량, 고속도로 등
: 특정 지역 사람들은 소비가능하나, 타 지역 사람은 소비할 수 없음
▪ 민간재
: 배제의 원칙 - 대가를 지불한 사람만 소비혜택을 누림
: 가격기능 - 배제의 원칙을 바탕으로 함
: 효용극대화와 이윤극대화 행위에 의해 이루어지는 경쟁적 균형은 배제의 원칙을 반영

01 다음 중 공공재와 관련이 가장 적은 것은?

① 비경합성   ② 시장에 의한 과잉공급

③ 시장실패   ④ 무임승차자 문제

02 다음 중 소비에 있어서 공공재의 특성은 무엇인가?

① 경합성, 배제성   ② 비경합성, 비배제성

③ 비경합성, 배제성   ④ 비배제성, 경합성

03 다음 ( )에 가장 알맞은 용어는?

> 공공재가 갖고 있는 소비의 ( )이란 한강에서 폭죽을 터트릴 때 내가 그 장관을 보는 것이 다른 사람이 보는 것을 저해하지 않는다는 것과 같은 내용이다.

① 경합성   ② 비배제성

③ 배제성   ④ 비경합성

04 | 공공재에 대해 사람들이 비용을 스스로 부담하지 않으면서 혜택을 보려는 행동은 다음 어느 것과 관련이 있는가?

① 규모의 경제　　　　② 무임승차자 행동
③ 외부불경제　　　　④ 정보의 불완정성

05 | 다음 중 공공재와 관련이 가장 적은 것은?

① 비배제성　　　　② 경합성
③ 무임승차　　　　④ 정부

06 | 다음 중 공유자원과 가장 거리가 먼 것은?

① 비배제성　　　　② 시장실패
③ 비경합성　　　　④ 공유지의 비극

07 | 다음 중 시장실패의 원인이 될 수 없는 것은?

① 공공재의 존재　　　　② 외부경제의 존재
③ 사적이익 추구　　　　④ 공유자원의 존재

08 소비의 비경합성과 배제불가능성은 다음 어느 것의 존재근거를 설명하는가 ?

① 민간재   ② 자연독점
③ 공공재   ④ 공유자원

09 다음 서술 중 가장 옳지 않은 것은?

① 공공재는 비경합성과 비배제성으로 시장에 맡겼을 때 사회적으로 필요한 양보다 적게 공급되거나 아예 공급되지 않을 수도 있다.

② 코즈 정리는 외부효과가 있을 지라도 정부의 개입 없이 이해당사자간의 자발적 협상에 의해 시장실패를 해결할 수 있음을 보여준다.

③ 독점, 과점, 독점적 경쟁시장에서는 시장실패가 발생한다.

④ 공유자원이란 경합성은 없으나 배제성이 있는 특성으로 인해 무분별한 사용으로 결국 고갈되거나 황폐해지고 마는 '공유지의 비극' 문제를 발생시킨다.

10 다음 중 공유자원의 특성으로만 묶인 것은?

① 비경합성과 배제성   ② 비경합성과 비배제성
③ 경합성과 비배제성   ④ 경합성과 배제성

◐ 11 │ 다음 ( )에 A, B, C 순으로 가장 알맞은 용어는?

> 순수공공재는 소비의 (A)과 (B)을 갖기 때문에 시장에서 공급할 경우 (C)공급될 수 있다.

① 비경합성, 비배제성, 과소　　② 비경합성, 배제성, 과소
③ 비경합성, 비배제성, 과대　　④ 경합성, 배제성, 과대

◐ 12 │ 다음 서술 중 가장 옳지 않은 것은?

① 미시적 시장실패는 자원배분의 효율성을 달성하지 못하는 경우를 말하는데 주로 불완전경쟁, 외부효과, 공공재, 비대칭정보에 기인한다.

② 외부경제가 있는 경우 사적 한계편익은 사회적 한계편익보다 크기 때문에 사회적으로 바람직한 생산량보다 과소하게 생산된다.

③ 공공재는 국방서비스나 공중파방송, 가로등, 일반도로와 같이 한 개인의 소비가 타인의 소비를 저해하지 않는 비경합성과 일단 공급되고 나면 누구나 소비할 수 있어 그 혜택을 배제시킬 수 없는 비배제성이라는 두 가지 속성을 동시에 갖고 있다.

④ '공유지의 비극' 문제를 해결하기 위한 방안으로는 공유자원에 대한 사유재산권 설정이나 사용자에게 세금부과, 각종 규제를 통한 무분별한 사용 제한 등이 있다.

13 | 다음 ( )에 들어갈 알맞은 말은?

공공재는 비경합성과 비배제성이라는 두 가지 속성을 동시에 갖고 있다. 비경합성은 추가적인 소비가 비용을 발생시키지 않으므로 이에 대한 양의 가격을 설정하는 것도 사회적으로 바람직하지 않고, 비배제성은 아무도 비용부담을 하지 않으려는 ( ) 문제를 야기한다. 이런 이유로 공공재는 사적 재화와 달리 시장에 맡겼을 때 사회적으로 필요한 양만큼 공급되지 못하는 ( )가 발생한다.

① 무임승차자 - 정부실패   ② 공유지 비극 - 시장실패
③ 무임승차자 - 시장실패   ④ 공유지 비극 - 정부실패

14 | 다음 중 공유지(공유자원)의 비극과 가장 거리가 먼 것은?

① 황해의 어족자원고갈이 단적인 예이다.
② 소유권(재산권)이 분명하지 않은 상태에서 각 개인은 자원을 아껴 쓸 유인을 갖지 못해 발생하는 문제이다.
③ 공동으로 사용하는 자원은 너무나 빨리 고갈되는 경향이 존재하는 현상이다.
④ 공유자원은 소비에서 비배제성과 비경합성이 존재한다.

11강 정부의 역할

NOTE   조세부과의 이유

- 공공재 공급에 필요한 예산 충당을 위해 세금 부과

: 국방, 치안, 공교육, 사회기반시설에 소요되는 자금마련

- 시장실패 및 외부효과 교정을 위해 세금 부과

- 소득재분배를 위해 세금 부과

: 빈부격차 완화

: 경제적 취약계층에 반대급부 없이 지급하는 이전지출

: 누진세제도

- 정부 자신의 활동에 대한 비용을 지불하기 위해 세금 부과

: 공무원, 정부기관 운용 예산 충당

C KEY 01 조세전가와 조세귀착

1. 조세전가와 조세귀착

① 세금부과 시 납세주체와 실질적 세금부담주체가 일치하지 않음(조세납부자 ≠ 조세부담자)

• 조세전가(shifting)
: 납세의무자가 실질적 세금부담을 다른 경제주체에게 이전시키는 것

• 조세부담의 귀착(조세귀착, incidence)
: 조세전가가 완료되어 다른 경제주체에게 조세부담을 귀속시키는 것
: 소비자잉여, 생산자잉여, 사회적 잉여 변화로 조세부담의 귀착을 평가

세금부과와 전가 및 귀착

- 공급자에게 세금 부과
: 공급곡선 좌측 이동 → 거래량 감소, 가격 상승
: 조세 일부를 소비자에게 전가
- 소비자에게 세금 부과
: 수요곡선 좌측 이동
: 소비자는 생산자에게 조세전가를 할 수 없음
: 균형가격에서 세금을 뺀 금액으로 구매하고자 함
→ 수요량 감소
: 수요량 감소를 원하지 않는 생산자는 자발적으로 가격인하를 통해 소비자와 조세부담을 나누려 함
→ 따라서 소비자에게만 세금을 부과할지라도 생산자에게 조세전가가 이루어져 생산자도 부담하게 됨
- 생산자와 소비자 간 조세를 부담하는 정도는 가격탄력성에 달려 있음

수요의 가격탄력성과 공급의 가격탄력성

- 수요의 가격탄력성

$$수요의 가격탄력성 = \frac{수요량 변화율}{가격 변화율}$$

- 공급의 가격탄력성

$$공급의 가격탄력성 = \frac{공급량 변화율}{가격 변화율}$$

- 탄력성이 클수록 곡선의 기울기는 수평에 가까워짐
: 수평의 기울기는 탄력성의 크기가 무한대
- 탄력성이 작을수록 곡선의 기울기는 수직에 가까워짐
: 수직의 기울기는 탄력성의 크기가 0

QUIZ **20** 다음 서술 중 옳은 것은?

① 공급곡선의 기울기가 완만할수록 공급의 가격탄력성은 작다.
② 부동산의 공급곡선은 다른 재화에 비해 수직에 가깝다.
③ 수요곡선이 수평이면 수요의 가격탄력성은 0이다.
④ 공급곡선이 수평이면 공급의 가격탄력성은 0이다.

KEY 02 가격탄력성과 세금부담

1. 가격탄력성에 따른 세부담의 비중
① 탄력성의 크기와 반비례
• 조세귀착의 크기는 가격 탄력성의 크기에 반비례함
: 수요의 가격탄력성이 클수록 소비자의 조세귀착이 작아짐
: 공급의 가격탄력성이 클수록 생산자의 조세귀착이 작아짐
• 수요의 가격탄력성 높은 상품에 세금부과
: 가격인상 → 수요량 크게 감소 → 따라서 가격 인상 최소화
• 수요의 가격탄력성이 낮은 상품에 세금부과
: 가격인상 → 수요의 감소 폭 작음 → 따라서 조세부담을 소비자에게 대폭 전가할 수 있음

QUIZ **21** 다음의 조세전가에 대한 서술 중 잘못된 것은?

① 수요가 비탄력적인 재화에 과세하면 소비자 부담이 커진다.
② 공급이 탄력적인 재화에 과세하면 생산자 부담에 비해서 소비자 부담이 커진다.
③ 수요가 탄력적인 재화에 과세하면 소비자 부담은 작아진다.
④ 공급이 비탄력적인 재화에 과세하면 소비자의 부담은 더욱 커진다.

KEY 03 정부개입과 사중손실

1. 사중손실(deadweight loss)

① 사중손실

• 자원배분의 효율성이 달성되지 않을 때 발생하는 효율성 상실분의 크기

② 사중손실 발생

• 과세 → 소비자 잉여 감소, 생산자 잉여 감소

→ 감소한 소비자 잉여와 생산자 잉여의 일부는 정부수익으로 환원

→ 그러나 정부수익으로 채워지지 못하는 삼각형 영역이 발생(사중손실, 자중손실)

• 사중손실

: 정부수익으로 환원 안 되는 소비자 상실분과 생산자들의 사라진 판매력

• 탄력성과 사중손실의 크기는 비례함

: 공급의 가격탄력성이 클수록 사중손실은 커짐

: 수요의 가격탄력성이 클수록 사중손실은 커짐

QUIZ **22** 다음 중 세금 부과로 사중손실이 가장 크게 발생하는 상황은?

① 비탄력적 수요, 탄력적 공급 ② 탄력적 수요, 비탄력적 공급

③ 탄력적 수요, 비탄력적 공급 ④ 탄력적 수요, 탄력적 공급

래퍼곡선(Laffer Curve)

- 1970년대 Laffer가 고안
: 공급중시 경제학 → 1980년대 레이거노믹스(Reaganomics)
: 공급중시 경제학에서는 낮은 조세가 근로·투자의욕을 촉진시켜 경제성장을 가져온다는 이유로 감세(tax cut)를 주장함
- 세율이 낮을수록 경제활동 유인 증가 → 세원·세수 증가
- 세율이 과도하게 높으면 투자의욕 상실 → 세원·세수 감소
- 세율이 0% → 세원은 가장 커지나 조세수입은 0원
- 세율이 100% → 세원이 사라져 조세수입은 0원
- 세율이 높아짐에 따라 조세수입 증가하다가 일정 수준을 지나면 세율이 과도하게 높아 투자의욕 상실되고 세원이 감소하여 조세수입이 감소하기 시작
- 세율의 크기가 적정세율(최적세율)보다 높은 경우에는 세율을 낮춤으로써 세수(조세수입)를 늘릴 수 있음

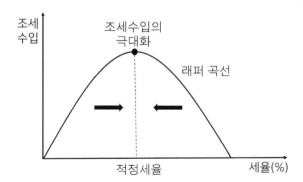

KEY 04 정부의 직접규제와 가격통제

1. 규제(regulation)

① 규제의 개념

• 재화·서비스 거래량, 가격, 질 등에 영향을 주기 위한 정부 활동 → 외부효과 등 시장실패 교정 수단으로 주로 사용

• 직접규제와 간접규제

: 금지, 감시감독, 허가, 최저임금제, 주52시간노동, 가격통제

: 유인제도를 사용하여 간접적 규제 → 오염세, 보조금

2. 직접규제 - 가격통제

① 가격상한제(최고가격제)

• 특정상품 가격을 정해진 수준 이상으로 높일 수 없게 제약

: 균형가격보다 낮은 수준에서 정책실행 실익이 있음

: 초과수요 발생 → 공급부족, 저품질 상품 공급 → 사중손실 발생(사회적 잉여 감소)

• 후생감소에도 가격상한 실시 이유

: 가격상한이 모든 행위자의 후생을 감소시키지 않으므로

: 임대료 통제가 있을 때 소비자 잉여가 더 클 수 있음

② 가격하한제

• 특정상품의 가격을 정해진 수준 이하로 낮출 수 없게 제약

: 초과공급 발생 → 사중손실 발생(사회적 잉여 감소)

: 노동시장에서 비자발적 실업 발생

: 잉여 일부가 소비자에게서 생산자로 전환 → 소득재분배

KEY 05 정부실패

1. 정부실패(government failure)

① 시장실패와 정부실패

• 시장실패를 치유·개선하기 위해 정부가 개입하지만 오히려 더 나쁜 결과(더 큰 비효율)를 초래하는 경우

: 정부 개입 자체가 개선효과보다 더 큰 사회적 비용을 치르는 경우 발생(가격통제나 조세부과에 따른 사중손실)

: 시장실패는 정부개입의 필요조건이지만 충분조건은 아님

② 정부실패

• 정부개입에 의해 야기되는 비효율(비시장 실패)

: 관료제의 특성으로 인해 조직의 생산성이 낮고 자원배분의 효율성을 달성하지 못하는 상태

③ 정부실패의 주요 요인

• 공익 추구의 공식목표 대신 관료가 자기의 이익이나 부서의 예산확대에 집착해 재정 낭비

• 공공조직에 내재하는 내부의 이유로 인한 비효율 발생

• 의도하지 않은 부작용

: 부동산규제완화로 주택경기활성화 시도 → 투기·거품 발생

• 공적자금 악용, 개인적 이익 위한 자원배분 왜곡(부정부패)

• 지하경제의 불법적 거래

: 세금부과 불가능 → 조세수입 보충을 위해 더 높은 과세

→ 사회적 비효율 발생

문제풀이 연습

01 다음 중 정부가 조세를 부과하는 이유와 가장 거리가 먼 것은?

① 시장실패 교정과 개선 및 공공재 공급

② 경기부양 및 외국 정부와의 조세수입 경쟁

③ 소득재분배 실시와 빈부격차의 완화

④ 정부의 활동에 필요한 운영비용 지불 등의 재원조달

02 다음 (   ) A, B에 각각 가장 알맞은 말은?

> 납세 의무자에게 세금을 부과했을 때 납세 의무자가 다른 경제
> 주체에게 세금을 이전시켜 세금을 떠넘기는 것을 조세 (A)라
> 고 한다. 조세(A)가 완료되어 다른 경제주체에게 조세부담이
> 귀속되어 궁극적인 조세부담을 지게 되는 것을 것을 조세(B)
> 이라고 한다.

① A - 전가, B - 귀착   ② A - 전가, B - 전이

③ A - 귀착, B - 전가   ④ A - 귀착, B - 전이

03 | 조세부담의 귀착과 관련된 다음 내용 중 가장 옳지 않은 것은?

① 공급의 가격탄력성이 클수록 생산자 조세귀착은 작아진다.
② 수요의 가격탄력성이 작을수록 소비자 조세귀착은 커진다.
③ 소비자에게만 과세하면 조세귀착은 소비자에게만 발생한다.
④ 조세부과의 사중손실은 부과 후 줄어든 사회후생의 크기이다.

04 | 수요곡선이 수직선이고 공급곡선은 우상향할 때 조세의 부과는 어떤 결과를 초래하는가?

① 조세 전액이 생산자에게 귀착된다.
② 조세 전액이 소비자에게 전가된다.
③ 조세의 절반이 생산자에게 귀착된다.
④ 조세는 생산자와 소비자 아무에게도 영향을 미치지 않는다.

05 | 래퍼곡선에 대한 다음 내용 중 옳은 것은?

① 세율이 높을수록 조세수입이 커짐을 보여준다.
② 세율이 낮을수록 조세수입이 작아짐을 보여준다.
③ 아베노믹스의 이론적 기초가 되었다.
④ 래퍼곡선은 세율과 조세수입과의 관계를 보여주는 곡선이다.

○ 06 | 수요가 탄력적이고 공급이 완전탄력적인 경우 생산자
에게 세금을 부과할 경우 조세부담배분은?

① 세금 전액이 소비자에게 귀착된다.

② 세금 전액이 공급자에게 귀착된다.

③ 소비자와 공급자에게 반반씩 귀착된다.

④ 공급자에 비해 소비자가 더 많이 부담한다.

○ 07 | 다음 중 정부실패의 원인으로 가장 거리가 먼 것은?

① 관료들의 자기이익 및 소속 부서의 이익추구

② 공적 자금 악용이나 사적이익을 위한 자원분배 왜곡을 하는
부정부패

③ 정부 개입의 비효율성

④ 공공조직에 외재하는 이유에 기인한 비효율성

○ 08 | 다음 중 생산자가 소비자에게 세금을 많이 전가시키
는 상황은?

① 탄력적인 수요와 탄력적인 공급

② 비탄력적인 수요와 비탄력적인 공급

③ 탄력적인 수요와 비탄력적인 공급

④ 비탄력적인 수요와 탄력적인 공급

09 | 다음 설명 중 옳지 않은 것은?

① 조세납부자는 곧 조세부담자이다.
② 균형가격보다 낮게 설정된 최저임금은 정책 실효성이 없다.
③ 외부효과란 나의 행위가 다른 경제주체들에게 대가를 주지도 받지도 않으면서 편익이나 비용을 발생시키는 것을 말한다.
④ 회계적 비용은 기회비용에 포함된다.

10 | 조세와 관련한 다음 설명 중 옳은 것은?

① 수요의 가격탄력성이 클수록 소비자 조세귀착은 커진다.
② 생산자에게만 과세하면 조세귀착은 생산자에게만 발생한다.
③ 공급의 가격탄력성이 작을수록 생산자 조세귀착은 작아진다.
④ 래퍼곡선은 세율을 낮추어도 정부의 조세수입이 증가할 수 있음을 보여준다.

11 | 조세 전가와 귀착에 관한 다음 설명 중 옳은 것은?

① 생산자와 소비자 간 조세 부담의 정도를 결정하는 것은 소득 탄력성이다.
② 공급의 가격탄력성이 낮을수록 조세의 소비자전가는 커진다.
③ 수요의 가격탄력성이 높을수록 조세의 소비자전가는 작아진다.
④ 교차탄력성이 클수록 조세의 소비자전가가 커진다.

12 | 다음 설명 중 옳지 않은 것은?

① 가격하한제를 실시하면 초과공급이 발생하기 쉽다.
② 수요의 가격탄력성은 수요량 변화율을 가격의 변화율로 나눈 값이다.
③ 가격상한제일 때 가격상한은 시장에서 결정된 균형가격보다 높게 설정된다.
④ 공급의 가격탄력성은 가격의 변화에 대한 공급량 변화의 민감한 정도를 말한다.

13 | 수요가 탄력적이고 공급이 비탄력적인 경우 조세의 귀착은?

① 전액 생산자 부담   ② 소비자 부담이 더 큼
③ 전액 소비자 부담   ④ 생산자 부담이 더 큼

14 | 다음 중 사중손실이 가장 크게 나타나는 경우는?

① 공급이 탄력적이며 수요가 완전비탄력적인 경우
② 수요가 탄력적이며 공급이 완전비탄력적인 경우
③ 수요와 공급이 모두 완전탄력적인 경우
④ 수요와 공급이 모두 탄력적인 경우

15 | 래퍼곡선(Laffer Curve)와 관련된 다음 설명 중 옳지 않은 것은?

① 지나치게 높은 세율은 노동과 투자 의욕을 감소시킨다.
② 수요중시경제학자들의 견해와 일치한다.
③ 노동 의욕 고취를 위해 근로 장려 세제를 추진한다.
④ 투자의욕 촉진을 위해 투제 세액 공제를 추진한다.

16 | 다음 중 조세부과시 탄력성에 따라 달라지는 것이 아닌 것은?

① 조세부담의 크기   ② 거래량 변화의 크기
③ 가격변화의 크기   ④ 과세규모의 크기

17 | 다음 설명 중 가장 옳지 않은 것은?

① 완전경쟁시장의 균형가격과 균형거래량에서 수요자와 공급자는 다른 한 쪽의 효용 또는 이윤을 감소시키지 않고서는 어느 누구의 효용 또는 이윤을 높일 수 없으므로 파레토 최적이 달성된다.
② 시장에서의 균형은 다른 조건이 변하지 않을 때, 구매자와 판매자가 자신의 행동을 변화시킬 유인이 없는 상태이다.
③ 매몰비용은 현재 시점에서 어떠한 선택을 하든 회수가 불가능한 비용이다.
④ 가격통제에 의해 사회적 잉여가 증가한다.

12강 기업의 생산비용과 수입

생산함수, 비용함수, 수입함수

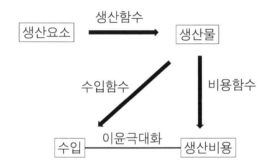

- 생산가능합니까?
: 생산함수를 구성한다는 것은 생산할 수 있는 것을 의미
- 비용은 얼마나 들까요?
: 비용함수를 구성 → 비용극소화 → 총비용, 고정비용, 가변비용, 평균비용, 평균가변비용, 한계비용
- 수입은 얼마나 되나요?
: 수입함수를 구성 → 총수입, 평균수입, 한계수입
- 이윤극대화
: 이윤 = 수입 - 비용

KEY 01 경제적 비용

1. 경제적 비용
① 경제적 비용은 기회비용(opportunity cost)을 의미
- 기회비용 = 명시적 비용 + 암묵적 비용
- 기회비용
: 어떤 것을 선택함으로써 포기한 것들 중 가장 큰 가치
: 포기한 것은 명시적 비용과 암묵적 비용의 두 가지 형태임
- 명시적 비용(explicit cost, 회계적 비용)
: 생산에서 화폐의 형태로 실제 지출되는 비용
- 암묵적 비용(implicit cost, 잠재적 비용)
: 명시적 형태인 현금지출이 발생하지 않지만 실질적으로 포기한 수입 혹은 가치 중 가장 큰 값

※ 매몰비용(sunk cost)
: 원금의 회수가 불가능한 경우의 비용
: 기회비용으로 고려하지 않음
: 팔 수 없거나 다른 용도로 쓰일 수 없는 설비에 들인 비용

KEY 02 총비용, 고정비용, 가변비용

1. 총비용(total cost, TC)
① 총비용 = 고정비용 + 가변비용

• 고정비용(fixed cost, FC)
: 생산량의 변동과 무관한 비용
: 생산활동이 없어도 지출되는 비용
: 건물이나 기계의 임대료, 사무직 고정급여
: 일단 지출되면 회수할 수 없는 매몰비용의 성격

• 가변비용(variable cost, VC)
: 생산량 변동에 따라 변동하는 비용
: 생산량 증가에 따라 늘어나는 생산직 노동, 원재료비용

QUIZ **23** 다음은 비용에 대한 설명이다. 옳지 않은 것은?

① 기회비용은 명시적 비용과 암묵적 비용의 합이다.
② 경제적 비용은 회계적 비용을 의미한다.
③ 잠재적 비용은 암묵적 비용과 같은 개념이다.
④ 암묵적 비용은 현금지출과는 상관없다.

122

KEY 03 평균비용, 평균가변비용, 평균고정비용

1. 평균비용(average cost, AC)

① 평균비용 $= \dfrac{\text{총비용}}{\text{생산량}}$

• 생산량 한 단위의 비용

• U자 형태

: 생산량 증가에 따라 감소하다가 증가함

• AC = AFC(평균고정비용) + AVC(평균가변비용)

2. 평균가변비용(average variable cost, AVC)

① 평균가변비용 $= \dfrac{\text{가변비용}}{\text{생산량}}$

• U자 형태

: 생산량 증가에 따라 감소하다가 증가함

3. 평균고정비용(average fixed cost, AFC)

① 평균고정비용 $= \dfrac{\text{고정비용}}{\text{생산량}}$

• 생산량이 증가함에 따라 감소함

KEY 04 한계비용

1. 한계비용(marginal cost, MC)

① 한계비용 $= \dfrac{\Delta\, 총비용}{\Delta\, 생산량}$

$= 한계고정비용 + 한계가변비용$

- 한계고정비용은 0
: 한계비용 = 한계가변비용
- 생산물 한 단위 늘어날 때 추가적으로 발생하는 비용
- U자 형태
: 생산량 증가에 따라 감소하다가 증가함

비용곡선들 간의 관계와 특징

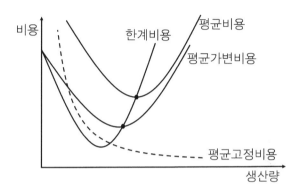

- 평균고정비용은 우하향
: 생산량 증가에 따라 평균고정비용은 감소함
- 평균비용은 평균가변비용 위에 놓임
: 평균비용 = 평균가변비용 + 평균고정비용
: 평균비용 최저점은 평균가변비용 최저점보다 오른쪽에 위치
- 한계비용은 평균비용과 평균가변비용의 최저점을 통과함

QUIZ **24** 비용곡선에 대한 설명으로 옳지 않은 것은?

① 평균비용곡선은 U자 형태를 보인다.
② 한계비용곡선은 S자 형태를 보인다.
③ 한계비용곡선은 평균비용곡선의 최저점에서 교차한다.
④ 총비용곡선은 가변비용과 고정비용의 합으로 계산된다.

KEY 05 총수입, 평균수입, 한계수입

1. 총수입(total revenue, TR)
① 총수입 = 가격 × 판매수량(생산수량)

② 평균수입(average revenue, AR)

• 평균수입 $= \dfrac{총수입}{판매량(생산량)}$

: 판매량(생산량) 한단위당 수입

: 상품의 가격은 언제나 평균수입이 됨(가격 = 평균수입)

③ 한계수입(marginal revenue, MR)

• 한계수입 $= \dfrac{\Delta 총수입}{\Delta 판매량(생산량)}$

: 생산량 한단위 더 추가 생산(판매)할 때 얻는 추가적 수입

2. 기업의 이윤
① 기업의 목표

• 이윤극대화

② 이윤

• 이윤 = 총수입 - 총비용

12강 | 문제풀이 연습

01 | 다음 중 경제적 비용을 가장 잘 나타낸 것은?

① 회계적 비용 + 명시적 비용   ② 매몰비용 + 암묵적 비용
③ 명시적 비용 + 암묵적 비용   ④ 고정비용 + 가변비용

02 | 다음 중 가장 옳지 않은 것은?

① 평균가변비용곡선은 평균비용곡선의 아래에 위치한다.
② 한계비용이 상승할 때 평균비용은 감소한 후 증가한다.
③ 평균고정비용은 생산량이 증가할수록 증가한다.
④ 한계비용곡선은 평균비용곡선의 최저점을 지난다.

03 | 다음 중 단기에 생산량을 증가시킴에 따라 감소하는
비용은 무엇인가?

① 평균비용   ② 총비용
③ 한계비용   ④ 평균고정비용

04 | 비용에 대한 다음 설명 중 가장 옳지 않은 것은?

① 한계비용은 생산물 한 단위 변화에 따른 총비용의 변화분이다.

② 기업이 고용하고 있는 노동자를 해고할 수 없는 경우에 이 기업이 지급하는 임금은 고정비용이다.

③ 기업의 경제적 비용이 모두 반드시 현금지출을 수반하지 않는다.

④ 한계비용곡선은 평균가변비용곡선과 평균고정비용곡선의 최저점을 통과한다.

05 | 비용에 관한 설명 중 옳지 않은 내용은?

① 한계비용곡선은 평균고정비용곡선의 최저점과 만난다.

② 총비용은 가변비용과 고정비용의 합이다.

③ 평균비용은 평균가변비용과 평균고정비용의 합이다.

④ 한계비용은 생산물이 한 단위 늘어날 때 추가적으로 발생하는 비용이다.

06 | 다음 중 수평축에 생산량, 수직축에 비용을 표시한 좌표평면에서 U자 모양으로 표시되지 않는 곡선은 무엇인가?

① 평균비용　　　　　　　　② 평균고정비용
③ 한계비용　　　　　　　　④ 평균가변비용

07 한계비용체증은 생산의 무슨 현상에 기인하는가?

① 평균생산체감　　　　　　② 외부효과
③ 한계생산체감　　　　　　④ 규모의 경제

08 기업의 비용함수에 대한 설명으로 옳지 않은 것은?

① 총비용(TC)곡선은 가변비용(VC)과 고정비용(FC)의 합이다.
② 고정비용(FC)은 생산량 수준에 비례한다.
③ 한계비용곡선은 평균비용곡선의 최저점에서 교차한다.
④ 평균고정비용(AFC)은 산출량이 증가할수록 점점 감소한다.

09 기회비용에 대한 다음 서술 중 가장 옳지 않은 것은?

① 기회비용에는 암묵적 비용도 포함된다.
② 기회비용에는 명시적 비용도 포함된다.
③ 기회비용이란 어떤 것을 선택함으로써 포기해야 하는 가능한 여러 대안들의 가치 중 가장 큰 값이다.
④ 탐색에 동일한 시간이 소요되었다면, 이 때 발생하는 기회비용은 사람마다 동일하다.

10 | 생산활동을 할 때 발생하는 비용에 대한 설명으로 옳지 않은 것은?

① 평균비용곡선의 최저점은 한계비용곡선과 만난다.

② 평균가변비용곡선의 최저점은 한계비용곡선과 만난다.

③ 고정비용은 생산량과 비례하여 늘어난다.

④ 한계비용은 생산물 한 단위를 추가로 생산할 때 발생하는 총비용의 증가분이다.

11 | 기회비용에 대한 다음 설명으로 틀린 것은?

① 변호사가 영화구경을 갔을 경우, 영화티켓비용과 교통비는 명시적 비용에 해당되고 변호사 업무를 못함으로써 줄어든 수입은 암묵적 비용에 해당된다.

② 중간고사를 앞두고 축구경기를 보러 갔을 경우, 시험공부 준비부족으로 얻게 되는 낮은 학점은 암묵적 비용에 해당된다.

③ 다니던 회사를 그만두고 커피숍을 운영할 경우, 회사다닐 때 받던 급여는 명시적 비용에 해당된다.

④ 다니던 회사를 그만두고 커피숍을 운영할 경우, 커피숍 개설과 운영에 소요되는 자금은 명시적 비용에 해당된다.

12 | 전일제(full time) 대학원에 다니는 학생의 교육비를 기회비용 개념으로 계산한다면 다음 무엇과 같은가?

① 대학원 등록금과 책값 등의 직접적 경비
② 재학 기간 중의 포기한 임금소득
③ 대학원 수료로 기대되는 소득 증가분
④ 위의 ①과 ②의 합계

13 | 매몰비용(sunk cost)이란 어떤 비용을 의미하는가?

① 원자재 구입비용을 말한다.
② 가변비용과 변동비용을 합한 것이다.
③ 노동비용을 말한다.
④ 이미 지출되어 되돌릴 수 없는 비용을 의미한다.

14 | 한계비용에 대한 설명으로 옳지 않은 것은?

① 경제인의 단기적 의사결정에 영향을 미치는 항목이다.
② 한계비용은 생산량을 한 단위 증가시키는 데에 발생하는 생산비의 증가분을 말한다.
③ 생산량이 늘어남에 따라 한계비용은 체증한다.
④ 한계비용만을 보면 이윤이 나는가 손실이 생기는가를 알 수 있다.

13강 완전경쟁시장의 구조

NOTE   시장형태의 종류와 특징

	완전경쟁	독점적 경쟁	과점	독점
판매자 수	매우 많음	많음	적다	하나
상품의 동질성	동일한 상품	차별화된 상품	동질적 이질적	유일한 상품
진입장벽	없음	없음	강함	강함
시장의 예	농산물	식당 미용실 세탁소	가전제품 시멘트 자동차	철도 전기 상수도

※ 비현실적인 완전경쟁시장을 배우는 이유
▪ 현실의 시장을 비교하고 분석하기 위한 출발점
: 완전경쟁시장은 비현실적 거래공간이지만 비현실적 가정을 현실적으로 완화해 나가면 우리가 원하는 분석이 가능함
▪ 정책결정에서의 유용성
: 완벽한 시장의 상황을 대변하는 완전경쟁시장과 현실에서의 시장 간 차이를 파악하여 경제정책 결정에 유용하게 활용

C KEY 01 완전경쟁시장의 조건

1. 완전경쟁시장의 가정과 특성

① 무수히 많은(충분히 많은) 소비자와 생산자가 존재함

② 상품의 동질성

• 시장에서 거래되는 상품은 동질적임

• 구매자와 판매자는 시장가격에 영향을 미치지 못하고 시장에서 형성된 가격을 수용함(가격수용자, price-taker)

③ 완전한 정보

• 수요자와 공급자는 해당 물건에 대해 완전정보를 가짐

: 일물일가(一物一價, Law of one price)

④ 진입과 탈퇴의 자유

• 수요자와 공급자는 시장 진입장벽이 없어 언제든지 시장에 진입하거나 탈퇴하는 것이 가능함

: 장기적으로 초과이윤은 0(zero)

→ 장기적으로 정상이윤(normal profit)만 존재

QUIZ 25 완전경쟁시장의 성립 원인으로 맞지 않는 것은?

① 소수의 판매자와 구매자   ② 동질적인 상품

③ 자유로운 진입과 퇴출   ④ 완전한 시장정보의 공개

시장형태별 수요곡선

▪ 완전경쟁시장

: 시장수요곡선 = 우하향(수요법칙)

: 하나의 기업이 직면하는 수요곡선 = 수평선

→ 수요의 가격탄력성이 무한대

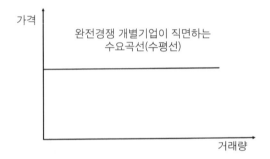

: 수많은 기업이 생산 + 상품의 질이 모두 동질적

→ 개별기업이 시장가격 결정에 전혀 영향을 미칠 수 없음

→ 개별기업들은 가격수용자(시장수요곡선이 아니고 시장가격에서 수평이 되는 수요곡선에 직면)

▪ 불완전경쟁시장

: 시장수요곡선 = 우하향

: 하나의 기업이 직면하는 수요곡선 = 우하향

시장형태별 수입곡선

▪ 완전경쟁시장

: 한계수입 일정의 법칙

: 한계수입곡선 = 수평선 → 수요곡선과 일치

: D = P = AR = MR

: 가격은 언제나 기업의 평균수입이 됨

: 완전경쟁시장에서는 개별기업이 직면한 상품의 가격이 일정하므로 상품의 가격이 한계수입도 됨

: 한계수입은 기업이 상품을 추가로 판매했을 때 얻는 수입이므로 가격이 일정하면 가격이 바로 한계수입이 됨

▪ 불완전경쟁시장

: 한계수입 체감의 법칙

: 한계수입곡선 = 우하향

: D = P = AR > MR

: 완전경쟁시장의 개별기업은 시장에서 정해진 가격이 한계수입이 되지만, 불완전경쟁시장의 개별기업의 경우 더 많은 상품을 판매하기 위해서는 가격을 낮춰야 하므로 한계수입은 시장가격보다 더 빠르게 하락하게 됨

KEY 02 이윤극대화의 조건

1. 이윤극대화의 조건

① 총수입 ≥ 총비용

• 이윤 = 총수입 - 총비용

② 이윤극대화 조건

• 한계수입 = 한계비용

: MR = MC

: 한계수입(MR)이란 어느 생산자가 산출량을 한 단위 더 늘
릴 때 추가로 벌어들이는 수입

: 한계비용(MC)이란 어느 생산자가 산출량 한 단위를 더 늘
리기 위해 추가로 들어가는 비용

• MR > MC일 경우

: 생산자는 산출량 한 단위를 늘릴 때 벌어들이는 수입이 들
어가는 추가비용보다 크다는 의미

: 따라서 한 단위 더 산출량을 늘리면 생산자의 이윤은 증가

• MR < MC일 경우

: 한 단위 더 산출량을 늘리면 이윤이 감소

: 이윤극대화를 위해서 산출량을 줄여함

③ 완전경쟁시장에서 이윤극대화 조건

• P = AR = MR = MC

: MR = MC

: P = MC

KEY 03 완전경쟁기업의 단기공급곡선

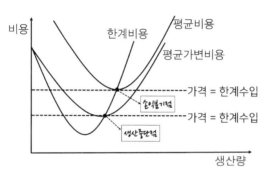

1. 완전경쟁기업의 단기적 상황

① 초과이윤 실현

• 가격 > 평균비용

② 정상이윤 실현

• 가격 = 평균비용

③ 손실 발생

• 가격 < 평균비용

• 평균가변비용 < 가격 < 평균비용

: 가변비용 충당 및 고정비용 일부 충당 → 생산을 계속함

④ 생산중단

• 가격 < 평균가변비용

2. 완전경쟁기업의 단기공급곡선

① 생산중단점에서 우상향하는 한계비용곡선

⊂KEY 04 완전경쟁기업의 장기공급곡선

> 단기 : **초과이윤**, 정상이윤, 손실, 생산중단
>
> 장기 :
> 진입과 퇴출의 자유 → 많은 기업의 시장진입
> → 공급증가 → 가격하락 → 손실발생
> → 기업의 퇴출 → 공급감소 → 가격상승
> → 정상이윤(초과이윤 0)

1. 완전경쟁시장에서의 장기공급곡선

① 생산요소가격(비용)이 불변일 경우

• 수평선

: 장기적으로 평균비용이 가격과 같아지는 점에서 균형

: 장기공급곡선은 평균비용과 일치하는 수준에서 X축과 평행

• 비용이 증가하면 우상향, 비용이 감소하면 우하향

※ 생산중단점과 퇴출

• 생산중단점

: 일시적 생산 멈춤 + 고정비가 존재 + 단기적 개념

• 퇴출

: 고정비용이 존재하지 않는 장기적 개념

: 총수입이 총비용보다 낮을 경우 퇴출(가격이 평균비용 이하)

문제풀이 연습

01 | 완전경쟁시장과 가장 거리가 먼 것은?

① 완전한 정보   ② 자유로운 시장진입과 탈퇴

③ 차별적 상품   ④ 수많은 수요자와 수많은 공급자

02 | 완전경쟁시장에 대한 조건 중 옳지 않은 것은?

① 완전한 정보   ② 시장 진입과 퇴출의 자유

③ 동질적 상품   ④ 하나의 공급자와 수많은 수요자

03 | 다음 설명 중 옳은 것은?

① 완전경쟁시장은 매우 비현실적인 가정으로 만들어진 개념으로 실제 경제분석에 사용할 수 없다.

② 완전경쟁시장의 가정은 비현실적이지만, 이 가정을 완화하면서 현실에 가까운 시장 분석이 가능하므로, 분석의 출발점이 된다.

③ 완전경쟁시장의 가정은 가격설정자, 이질적상품, 불완전정보, 시장 진입과 퇴출의 제한 등이 있다.

④ 다른 조건이 변하지 않는다는 가정은 경제분석에서 잘 사용하지 않는 가정이다.

◯ 04 다음 중 완전경쟁기업의 단기공급곡선에 대해 맞는 것만 모아 놓은 것은?

> ㉠ 생산중단점보다 오른편에 있는 한계비용곡선이다.
> ㉡ 기울기가 우하향한다.
> ㉢ 아무리 가격이 낮아도 생산이 0이 되는 경우는 없다.
> ㉣ 평균가변비용의 위에 위치한 한계비용곡선이다.
> ㉤ 평균비용의 위에 위치한 한계비용곡선이다.
> ㉥ 그 기업의 평균비용곡선과 같다.
> ㉦ 시장가격과 같은 높이의 수평선이다.

① ㉠, ㉡   ② ㉡, ㉣, ㉤
③ ㉠, ㉣   ④ ㉢, ㉣, ㉤

◯ 05 완전경쟁시장에서 나타나는 현상과 관련된 내용이 아닌 것은?

① 평균수입 = 한계수입   ② 일물일가
③ 정상이윤만 존재   ④ 가격설정자

◯ 06 경제학에서 가정하는 기업의 목표는 무엇인가?

① 규모의 극대화   ② 매출액 극대화
③ 이윤극대화   ④ 효용의 극대화

07 기업의 단기 공급곡선을 그리면 우상향하는데, 공급곡선이 이같은 기울기를 가지는 이유는 무엇인가?

① 정부가 가격을 통제하기 때문이다.
② 수요자의 소득이 제한되어 있기 때문이다.
③ 기업의 한계비용이 증가하기 때문이다.
④ 소비자의 효용이 체감하기 때문이다.

08 완전경쟁시장에서는 판매자가 다수이고 제품은 동질적이다. 하나의 완전경쟁기업이 직면하는 수요곡선 모양은?

① 수직선   ② 수평선
③ 우하향하는 곡선   ④ 쌍곡선

09 합리적인 완전경쟁기업의 결정으로 볼 수 없는 것은?

① 가격이 평균가변비용의 최저점보다 낮아지면 생산을 중단한다.
② 가격이 평균비용보다 낮아질 경우 생산을 중단한다.
③ 이윤극대화를 위해 한계비용과 한계수입이 같은 점에서 생산한다.
④ 시장가격이 생산중단가격보다 높으면 가격이 한계비용과 같아지는 점에서 생산한다.

10 기업이 단기적으로 손실을 보면서도 생산을 지속하는 상황은 다음 어떤 경우에 해당하는가?

① 가격이 평균고정비용보다 높을 때
② 가격이 평균가변비용보다 낮을 때
③ 가격이 평균비용보다 낮고 평균가변비용보다 높을 때
④ 가격이 평균비용의 최저점보다 높을 때

11 완전경쟁기업의 단기 공급곡선은 다음 무엇의 일부와 같은가?

① 평균비용   ② 평균가변비용
③ 한계비용   ④ 평균고정비용

12 완전경쟁시장에서의 이윤극대화조건에 대하여 바르게 설명한 것은?

① 가격과 한계비용이 같다.
② 가격과 평균비용이 같다.
③ 가격과 한계수입이 같다.
④ 가격과 한계효용이 같다.

13 | 완전경쟁시장에 대한 다음 내용 중 가장 옳지 않은 것은?

① 생산중단점에서 평균비용과 한계비용은 같다.
② 장기균형 아래서 초과이윤은 0이므로 손익분기점에 놓인다.
③ 비용불변산업의 장기공급곡선은 수평이다.
④ 완전경쟁 시장형태를 연구하는 이유는 현실적인 시장형태를 분석 및 평가하는 기준이 될 수 있기 때문이다.

14 | 다음 중 완전경쟁시장에서 나타나는 현상과 관련이 가장 없는 것은?

① 일물일가의 법칙 성립
② 평균수입 = 한계수입
③ 정상이윤 = 0
④ 개별기업이 직면하는 수요곡선은 수평

15 | 완전경쟁기업의 단기공급곡선에 대한 설명으로 옳지 않은 서술을 고른다면?

① 생산중단점보다 오른편에 있는 한계비용곡선이다.
② 평균가변비용보다 가격이 낮으면 생산하지 않으므로 이 때의 공급은 0이 된다.
③ 우상향의 기울기를 가진다.
④ 시장 전체의 평균비용과 일치하는 수준에서 수평선이다.

16 | 다음 중 완전경쟁시장에서 기업의 장기적 의사결정으로 가장 옳지 않은 것은?

① 경제적 이윤이 장기 초과이윤보다 낮다면 기존 기업은 시장에서 퇴출한다.
② 장기의 시장 공급곡선은 수평이다.
③ 장기적으로 이윤이 0보다 큰 초과이윤이 존재한다.
④ 경제적 이윤이 장기 초과이윤보다 높다면 신규기업이 시장에 진입한다.

17 | 완전경쟁시장에서 나타나는 현상과 가장 거리가 먼 것은?

① 가격, 한계수입, 평균수입이 모두 같다.
② 평균수입과 평균비용이 같을 때 이윤이 극대화된다.
③ 한계비용곡선이 공급곡선이 된다.
④ 평균가변비용 곡선의 최저점이 시장가격일 때, 생산활동을 중단한다.

14강 불완전경쟁시장의 구조(1)

NOTE   불완전경쟁시장의 개관

▪ 완전경쟁시장의 조건이 동시에 충족되지 않는 시장

▪ 독점적 경쟁시장

: 다수의 기업(생산자)이 활동하더라도 제품의 질이 차별적임

: 자기만의 충성고객이 존재하여 독점력 행사가 가능

: 진입장벽은 없으나 질의 차별성 자체가 진입장역 역할을 함

▪ 과점

: 시장에서 소수의 기업만이 활동

: 공급자의 의사결정이 상대 공급자에게 영향을 미칠 수 있는 전략적 상황이 됨

: 따라서 가격수용자로서 행동하지 않음

▪ 독점

: 시장에는 1개의 기업만이 존재

: 공급자가 시장지배력을 행사

: 독점이윤을 추구하는 가격설정자로서 행동

KEY 01 독점적 경쟁시장

1. 독점적 경쟁시장

① 독점적 경쟁시장의 특징

• 다수의 기업이 경쟁

• 차별화된 제품

• 시장 진입과 퇴출의 자유

② 독점적 경쟁시장의 균형

• 다수의 기업이 경쟁

→ 상품의 대체성 큼

→ 그러나 제품의 차별성으로 인해 가격설정자로 행동 가능

→ 따라서 단기에 초과이윤을 누릴 수 있음

→ 그러나 장기적으로 자유로운 진출입으로 인해 초과이윤을
누릴 수 없음(초과이윤 = 0, 정상이윤)

③ 독점적 경쟁시장의 사례

• 세탁소, 이발소, 서점, 식당, 커피숍 등

CKEY$_{02}$ 과점시장

1. 과점시장
① 과점시장의 특징
- 소수의 기업이 경쟁
- 서로 영향을 주고 받는 상호의존적인 전략적 상황
- 가격과 수량으로 경쟁
- 과점시장의 이해를 위해 게임이론은 유용한 분석 수단
- 이동통신·반도체·전자제품 등
② 과점시장에서의 담합과 카르텔
- 담합
: 기업들이 더 높은 이윤을 얻기 위해 공동으로 의사결정을 하는 행위
- 카르텔(Cartel)
: 담합의 한 유형
: 법적으로 독립인 여러 기업들이 결합이윤을 극대화 하기 위해 마치 하나의 기업처럼 행동하고자 결성되는 조직
: 지속적으로 유지되기 어려움(죄수의 딜레마 상황 - 각 기업의 자기이익 추구, 반독점법)
: 석유수출기구(OPEC)

게임이론과 죄수의 딜레마

▪ 게임이론(game theory)
: 경쟁자의 반응을 고려하여 자신의 최적 행위를 선택해야 하는 상황에서 의사결정 형태를 연구
: 플레이어(player), 전략, 보수의 세 가지 요소로 구성
▪ 죄수의 딜레마
: 자신의 이익만을 고려한 선택이 상대방 뿐만 아니라 자신에게도 불리한 결과를 유발

용의자A

		부인	자백
용의자B	부인	(1년 형, 1년 형)	(20년 형, A석방)
	자백	(B석방, 20년 형)	(10년 형, 10년 형)

: 용의자 A, B는 모두 부인하는 전략을 선택해야 유리한 상황
: 그러나 B의 입장에서는 A가 자백하거나 부인하는 전략을 선택하는 어떤 경우에도 자백이 더 유리함(A입장도 동일)
: 결국 A, B는 자백하여 모두에게 불리한 결과 초래
: 협력(부인)하면 더 좋은 결과를 가져다줌에도 불구하고 협력에 실패(배반, 자백) → 자신의 이익만을 고려한 선택이 결국에는 서로에게 모두 불리한 결과를 유발하는 상황

가격효과와 산출효과

- 산출효과
: 과점시장에서 한 기업이 생산량을 늘리면 가격이 한계비용보다 높은 상태가 되어 이익이 증가
→ 과점기업은 생산을 증가할 유인이 작용함
- 가격효과
: 생산증가 → 시장 내 공급 증가 → 가격하락 야기
→ 원하는 만큼 생산을 증가시키지 못함
: 과점시장에서 생산을 늘리면 즉시 가격이 하락해 가격효과가 강하게 나타나므로 쉽게 생산량을 늘리지 못함
- 과점기업은 산출효과와 가격효과 사이에서 생산량 결정

문제풀이 연습

01 | 다음 중 과점시장의 가장 중요한 특징은?

① 초과이윤이 없음
② 가격의 하방경직성
③ 규모의 경제
④ 가격결정의 상호의존성

02 | 다음 중 독점적 경쟁시장과 가장 관련이 적은 것은?

① 차별화된 제품   ② 다수의 기업
③ 가격수용자   ④ 자유로운 진입과 퇴출

03 | 독점적 경쟁과 완전경쟁에서 장기에 이윤이 0이 되는
이유로서 가장 옳은 것은?
① 완전한 정보가 있으므로
② 진입과 퇴출의 장벽이 없으므로
③ 생산비용이 변동하므로
④ 비효율성이 제거되므로

◯ 04 | 과점시장에 대한 서술 중 틀린 것은?

① 소수의 기업이 경쟁한다.

② 기업들은 서로 영향을 주고받는 상호의존적인 전략적 상황에서 활동한다.

③ 카르텔 형성은 전략적 행동이라고 볼 수 없다.

④ 게임이론이 유용한 분석수단으로 활용된다.

◯ 05 | 독점적 경쟁시장에 대해 설명한 다음의 내용 중 가장 옳지 않은 것은?

① 완전경쟁시장과 달리 이질적 상품을 공급한다.

② 독점시장이나 과점시장에 비해 진입과 퇴출이 자유롭다.

③ 독점적 경쟁시장에는 독점시장과 달리 밀접한 대체재가 존재한다. 따라서 시장지배력이 더 적다.

④ 상품의 동질성이 상대적으로 강화되는 시장이다.

◯ 06 | 다음 내용 중 과점시장과 가장 관련이 적은 것은?

① 전략적 상황   ② 카르텔과 소수의 기업

③ 규모의 경제   ④ 게임이론

07 자신의 이익만을 고려한 선택이 결국에는 서로에게 모두 불리한 결과를 유발하는 상황과 관련된 것은?

① 내쉬균형　　　　　　　② 파레토 최적

③ 유효수요　　　　　　　④ 죄수의 딜레마

08 과점시장에 대한 서술로서 옳지 않은 것은?

① 과점기업들은 상호의존관계가 크다.

② 가격이나 생산량과 관련하여 담합을 하는 경우가 많다.

③ 새로운 기업의 진입이 자유롭다.

④ 여타 기업들의 행위에 많은 주의를 기울인다.

09 독점적 경쟁시장의 특징에 대한 설명 중 옳지 않은 것은?

① 진입과 퇴거(퇴출)가 자유롭다.

② 기업은 시장가격에 대한 순응자(price taker)이다.

③ 시장 내에 다수의 생산자가 존재한다.

④ 기업이 생산하는 제품은 기업마다 조금씩 다르다.

10 | 독점적 경쟁시장의 특징과 가장 거리가 먼 것은?

① 가격 설정자
② 동질적 제품
③ 다수의 기업
④ 단기 초과이윤은 있지만, 장기 초과이윤은 없음

11 | 과점시장에 대한 다음 설명 중 가장 옳지 않은 것은?

① 과점기업들은 카르텔형성을 통해 경쟁을 줄이고 새로운 기업의 진입을 저지하려는 경향이 있다.
② 과점기업들 사이에 완전담합이 실현되기 어려운 것은 개별기업이 혼자만 담합을 어김으로써 이윤을 증대시킬 수 있기 때문이다.
③ 과점시장은 진입장벽이 없기 때문에 신규기업의 진입이 매우 용이하다.
④ 게임이론은 과점시장을 이해하기 위한 매우 유용한 분석 수단이다.

12 | 독점적 경쟁시장과 가장 거리가 먼 것은?

① 다수의 기업이 활동하더라도 제품이 차별적이어서 독점력을 행사할 수 있다.
② 완전경쟁시장과 독점시장의 일부 특징들을 동시에 갖는다.
③ 공급자의 의사결정이 상대에 영향을 미칠 수 있는 전략적 상황에 놓여 있는 시장이다.
④ 제품에 차별성이 있어 자신만의 시장수요곡선을 가지게 되므로 기업은 가격설정을 할 수 있다.

13 | 다음 ( )에 가장 알맞은 말로 짝지어 진 것은?

(A)은 과점시장에서 소수의 기업들이 담합하여 마치 하나의 기업처럼 행동함으로써 결합이윤을 극대화하고자 결성되는 조직으로 석유수출국기구(OPEC)가 대표적인 사례이다. 카르텔은 유지되기 어려운 속성이 있는데 이러한 내용은 (B)로 잘 설명된다.

① A : 수직결합, B : 가격차별화
② A : 카르텔, B : 죄수의 딜레마
③ A : 담합행위, B : 규모의 경제
④ A : 연합행위, B : 범위의 경제

15강 불완전경쟁시장의 구조(2)

NOTE 독점시장의 특징

- 단 1개의 기업만이 상품을 생산하여 공급(대체재가 존재하지 않음)
- 진입장벽이 존재함
- 가격설정자(price maker)로서 행동함

: 시장지배력을 가지고 있음

- 공급곡선이 존재하지 않음

: 가격이 시장에서 주어진 것이 아니라 독점이윤을 얻기 위해 설정하는 가격

→ 따라서 주어진 가격에 공급하고자 하는 양을 의미하는 공급곡선은 존재하지 않음(공급점만 존재)

→ 시장수요곡선을 보고 이윤극대화 수량을 생산

→ 시장수요곡선에서 그 수량에 해당하는 가격을 설정

→ 시장수요의 크기에 따라 초과이윤, 정상이윤, 손실을 보는 경우가 나타남

: 독점기업은 그때 그때 시장수요 크기를 감안하여 이윤극대화 공급량을 결정함

KEY 01 진입장벽과 독점

1. 독점의 발생원인인 진입장벽이 존재하는 이유

① 규모의 경제

• 생산량이 늘어나면서 고정비용이 분산되어 평균비용이 지속적으로 하락

: 신규기업은 높은 평균비용을 부담함에 따라 진입이 불가능하거나 어려워짐 → 자연독점(natural monopoly) 형성

: 철도, 전기, 상수도, 초고속 인터넷망

② 법적으로 정부에 의해 허용된 독점

• 공익을 위해 정부가 의도적으로 독점적 지위 보장

: 특허, 지적재산권 등 법적·제도적 장치를 통해 보호

: 독점적 이익보장으로 사회적으로 유익한 기술과 저작물이 만들어져서 사회 전체적으로 이득이 될 수 있음

③ 네트워크 효과, 잠금효과(lock-in)가 있는 산업

• 소비자 선점에 따른 범용성(호환성)으로 인해 제품의 질이나 기술적 우위를 가진 경쟁기업 진입이 어려워짐

• 지식기반경제에서 수확체감 대신 긍정적 피드백을 바탕으로 한 수확체증 현상이 나타나는 시장이 선두기업에 의해 거의 완전히 장악되는 경향 때문에 독점이 발생

: MS Windows와 애플 맥킨토시, 철도나 전기

: 카카오톡과 네이버 라인, 다양한 응용프로그램

④ 원재료의 독점소유(생산요소의 통제)

KEY 02 독점기업의 수요곡선과 한계수입곡선

1. 독점기업이 직면하는 수요곡선
① 완전경쟁기업이 직면하는 수요곡선
• 수평선
• 시장수요곡선은 우하향
② 독점기업이 직면하는 수요곡선
• 우하향하는 시장수요곡선

2. 독점기업의 한계수입곡선
① 수요곡선 아래에 위치
• 독점기업은 상품 하나를 더 팔려면 가격을 내려야하므로 한계수입은 가격보다 낮게 나타남
: 따라서 우하향하면서 수요곡선 아래에 위치함

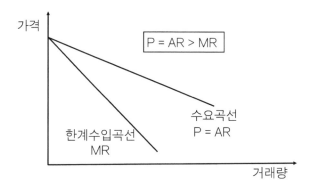

KEY 03 독점기업의 균형(이윤극대화)

1. 독점기업의 균형 특징

① 독점기업 균형

• 이윤극대화를 위해 한계수입(MR)과 한계비용(MC)이 일치하는 수준에서 생산량 Q를 결정하고 가격설정자이므로 Q에 대응하는 수요곡선상의 가격 P(독점가격)를 책정함

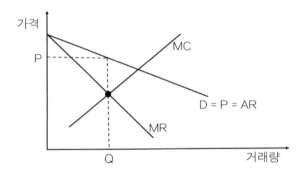

• 독점가격 P는 한계비용보다 더 높음

: 이것은 상품 하나를 더 생산하는 데 드는 비용(한계비용)보다 더 높은 가격에 물건을 팔수 있다는 의미

: 독점이윤을 누림

• 독점이윤

: 독점기업이 갖는 가격설정자 지위로부터 발생

KEY 04 독점의 사회적 손실

1. 독점의 사회적 손실
① 사중손실
• 가격을 한계비용보다 높게 설정
: 따라서 평균생산비용보다 높은 지불의사를 지닌 소비자 중 일부가 소비를 못함
• 독점기업 이윤극대화 생산량은 사회적 최적생산량보다 적은 수준에서 결정되어 비효율적임
: 사회적 잉여가 극대화 되지 못함
• 완전경쟁에 비해 가격은 높고 생산량은 적음

2. 독점비용의 치유
① 경쟁을 저해하는 독과점 행위를 규제(공정거래위원회)
② 가격규제, 세금으로 규제
③ 기간산업의 공기업화

QUIZ **26** 독점기업에 대한 설명으로 옳지 않은 것은?

① 독점기업의 생산량은 완전경쟁시장에서 보다 작다.
② 이윤극대화 산출량에서 가격은 한계비용보다 높다.
③ 독점기업의 입장에서 수요곡선의 높이는 평균수입이다.
④ 한계수입이 한계비용보다 크면 생산량을 줄인다.

독점기업의 가격차별

- 가격차별
: 동일한 상품을 다른 가격에 판매하는 것
- 완전가격차별화
: 첫 번째 고객에게는 그가 지불하고자 하는 가격을 매김
: 두 번째 고객에게는 그가 지불하고자 하는 최고가격을 매김
: 사회적 손실이 0
- 독점기업이 완전가격차별화로 소비자잉여를 모두 흡수
: 소비자 잉여가 공급자 몫으로 돌아갔지만 사회 전체는 효율적 상황이 됨
: 소비자 잉여 감소, 독점이윤 증가
- 시장의 효율성을 높이기 위해 구매자별, 판매량별 상이한 판매가격(가격차별)을 활용함

QUIZ **27** 독점기업의 가격차별 전략에 대한 설명으로 옳지 않은 것은?
① 소비자의 최고지불의사금액으로 가격을 설정한다.
② 가격차별로 사중손실이 감소할 수 있다.
③ 가격차별은 독점기업의 이윤을 감소시킨다.
④ 가격차별화는 같은 상품을 다른 가격으로 판매하는 것이다.

✅ 규모의 경제

- 규모의 경제(Economy of Scale)
: 산출량이 두 배로 증가할 때 생산비용은 두 배보다 덜 증가하는 경우
: 생산량이 늘어나면 평균비용이 감소하는 경우
: 주로 고정비용이 큰 경우에 생산량이 늘면 고정비용이 분산되기에 발생함
- 규모의 경제가 발생하는 이유
: 원재료의 대규모 구입에 따른 비용감소
: 규모에 대한 수확증가(모든 생산요소의 투입량 증가율보다 생산량증가율이 더 큰 경우를 의미)
→ 규모에 대한수확 증가를 가능하게 하는 요인으로 분업과 특화, 학습효과에 기인
- 규모의 경제가 존재하면 자연독점이 형성됨
: 규모의 경제가 나타나는 상품이나 서비스는 한 기업만을 시장에 남기는 것이 효율적임(상수도, 천연가스, 전기)
: 대량생산을 통해 얻어지는 비용 상 우위는 진입장벽이 됨

※ 규모의 비경제(규모의 불경제)
: 산출량이 두 배로 증가할 때 생산비용이 두 배 이상으로 증가는 경우
: 생산량이 늘어나면 평균비용이 증가하는 경우
: 규모에 대한 수확감소(어업의 경우)

✅₊ 범위의 경제

▪ 범위의 경제(Economy of Scope)
: 기업들이 한 상품보다 여러 상품을 동시에 생산하는 결합생산의 방식을 채택하면 생산비용이 절감되는 현상
: 원료조달이나 생산공정의 유사성으로 생산비용을 절감하는 현상
: 주유소와 편의점 같이 운영, 에어컨과 냉장고, 라면과 짜장면, 가죽지갑과 가죽구두
▪ 범위의 경제가 나타나게 되는 이유
: 생산시설이나 투입요소가 여러 가지 상품의 생산과정에서 동시에 사용 가능한 경우
: 생산요소를 공동으로 사용하는 경우

※ 범위의 불경제(범위의 비경제)
: 한 기업이 생산하는 것보다 각 기업이 한 상품씩 할당해 생산하는 것이 더욱 경제적 일 때 발생함
: 한 상품의 생산공정이 다른 상품의 생산공정에 방해가 될 때 범위의 불경제 발생함

01 다음 중 독점시장에서 발생하는 내용에 해당하는 것은?

① 가격수용자

② 사중손실 발생

③ 수요곡선이 한계수입곡선 아래에 위치

④ 한계수입 = 평균수입

02 독점발생의 원인이 아닌 것은?

① 규모의 경제

② 특허권과 생산요소의 독점

③ 네트워크 효과와 수확 체증

④ 수출보조금 제도

03 다음 중 자연독점과 가장 관련이 깊은 것은?

① 규모의 경제   ② 범위의 비경제

③ 범위의 경제   ④ 규모의 비경제

04 | 생산량이 증가하면서 평균비용이 감소하는 것과 가장 관련 있는 것은?

① 범위의 경제   ② 분업의 경제

③ 규모의 경제   ④ 특화의 경제

05 | 다음 중 독점시장의 특성에 관한 내용이 아닌 것은?

① 시장에 1개의 기업만 존재

② 한계수입 = 평균수입

③ 사중손실 발생

④ 가격설정자

06 | 규모의 경제에 대한 서술 중 옳지 않은 것은?

① 규모의 경제가 존재하면 규모를 먼저 키우는 기업이 우위에 서서 독과점이 쉽게 자리 잡는다.

② 자연독점을 발생시키는 요인이다.

③ 규모가 커질수록 생산단가가 낮아진다.

④ 생산물의 품종이 다양할수록 비용이 낮아진다.

○ 07 | 독점기업의 단기공급곡선은?

① 존재하지 않는다.　　② 탄력적이다.
③ 단위 탄력적이다.　　④ 비탄력적이다.

○ 08 | 생산규모를 확대하면 제품단위당 생산비용이 감소하는 것을 무엇이라고 부르는가?

① 규모의 경제　　② 범위의 경제
③ 범위의 경제　　④ 케인스 효과

○ 09 | 독점시장에 대한 다음 설명 중 옳지 않은 것은?

① 독점시장에서는 기업이 직면하는 수요곡선이 우하향하므로 한 개 더 팔려면 가격을 낮추어야 한다. 따라서 한계수입은 평균수입보다 작다.
② 규모의 경제가 있는 산업에서는 자연독점이 형성된다.
③ 독점시장에서는 단 1개의 기업만이 재화나 서비스를 공급하므로 시장지배력을 가지게 된다. 따라서 독점기업은 자신의 이윤을 극대화하기 위한 생산량과 가격을 설정할 수 있다
④ 한계수입과 한계비용이 일치할 때 이루어지는 독점균형에서의 생산량은 사회적으로 최적인 생산량보다 많아서 사중손실이 발생한다.

10 다음 중 독점시장에 대한 진입장벽이라고 볼 수 없는 것은?

① 원료의 독점　　　　　　② 수입자유화

③ 지적재산권　　　　　　　④ 정부의 인허가

11 개별로 생산하는 것 보다 여러 상품을 동시에 생산하는 결합생산의 방식이 생산비용을 절감할 수 있는 현상은?

① 범위의 경제　　　　　　② 범위의 비경제

③ 규모의 경제　　　　　　④ 규모의 비경제

12 다음 서술 중 가장 옳지 않은 것은?

① 똑같은 상품을 여러 다른 가격으로 판매하는 것을 가격차별이라고 하며, 가격차별의 결과 소비자 잉여는 감소하고 독점이윤은 증가한다.

② 생산시설이나 투입요소를 공동으로 사용함으로써, 여러 가지 상품을 각각 생산하는 것보다 동시에 생산하는 것이 유리한 현상을 범위의 경제라고 한다.

③ 규모의 경제는 생산량이 증가함에 따라 평균비용이 하락함을 의미한다.

④ 독점시장에서는 독점이윤을 추구하는 우상향하는 공급곡선이 존재한다.

16강 모의테스트 mock test 미시경제편

01 | 경제학과 관련한 다음 설명 중 가장 옳지 않은 것은?

① 경제학은 개인의 선택과 이러한 선택이 전체 사회에 미치는 영향을 분석하고 연구한다.

② 경제문제는 희소성으로 인해 무엇을 선택할 것인가를 결정해야 하는 것이다.

③ 인간의 무한한 욕구를 충족할 수 있는 자원이 한정되어 있기 때문에 나타나는 희소성은 경제학의 출발점이다.

④ 희소성은 상대적이라기보다는 절대적인 수량의 부족만을 의미한다.

02 | 합리적 의사결정에 대해 가장 옳지 않은 설명은?

① 최소의 비용으로 최대의 효과를 얻기 위한 선택이 경제적으로는 합리적이다.

② 경제학의 합리성은 목표를 달성하기 위한 수단이 효율적인지를 고려하는 것이다.

③ 경제학의 합리성은 어떤 목표가 옳은지 그른지를 고려하는 것이다.

④ 선택의 편익과 비용을 비교해 편익이 큰 것을 선택하는 것이 경제적으로는 합리적이다

03 다음 그림에서 소비자 잉여와 생산자 잉여를 순서대로 각각 바르게 나타낸 것은?

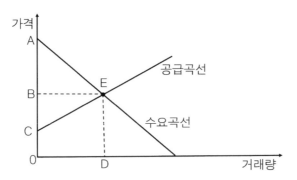

① AEC - CEB
② BEDO - CEDO
③ AEB - CEB
④ AODE - AEB

04 수요에 관한 다음 설명 중 가장 옳지 않은 것은?

① 수요곡선은 한계지불의사금액을 보여준다.
② 수요량이 늘어남에 따라 한계효용(한계편익)이 체감하기 때문에 한계지불의사금액은 증가한다.
③ 다른 조건이 동일할 때, 주어진 가격과 수요량의 관계를 수요계획(수요표)이라고 한다.
④ 수요법칙은 가격과 수요량 간에는 음(-)의 관계가 있다는 것을 의미한다.

05 다음 중 기업의 공급이 늘어나는 경우는?

① 상품의 가격이 하락했을 때
② 생산요소가격의 상승으로 총비용이 상승했을 때
③ 녹색혁명이나 정보통신기술 발달의 효과로 생산비가 하락했을 때
④ 정부가 기업에 높은 세금을 부과하거나 엄격한 공해방지 기준을 부과할 때

06 완전경쟁시장의 조건과 가장 거리가 먼 것은?

① 동질적 상품
② 자유로운 시장 진입과 퇴출
③ 생산자와 소비자는 가격설정자
④ 완전한 정보

07 다음 설명한 것 중 가장 옳지 않은 것은?

① 완전경쟁시장에서는 사회적 잉여가 최대가 된다.
② 파레토 최적이란 다른 경제 주체의 만족을 희생하지 않고는 어느 누구의 만족도 더 이상 높일 수 없는 상태를 의미한다.
③ 균형가격에서 거래되는 거래량은 균형거래량이다.
④ 수요곡선과 공급곡선이 만나는 점에서 균형이 이루어지며 균형가격에서는 초과수요는 있을 수 있으나 초과공급은 없다.

08 | 다음 설명 중 가장 옳지 않은 것은?

① 소비자 잉여와 생산자 잉여의 합이 가장 커지는 경우는 시장의 균형가격과 균형량에서 거래가 이루어질 때이다.
② 사회적 잉여(사회적 후생)란 생산자 잉여와 소비자 잉여의 합이다.
③ 최고가격은 균형가격보다 높게 설정된다.
④ 균형가격보다 낮은 최고가격은 초과수요를 유발하고 사회후생의 순손실을 낳는다.

09 | 완전경쟁시장에 대한 설명 중 옳지 않은 것은?

① 이윤 = 총수입 - 기회비용
② 생산중단은 일시적으로 생산을 멈추는 것으로, 고정비용이 존재하는 단기적 개념이나 퇴출은 완전히 시장을 떠나는 것으로, 고정비용이 더 이상 존재하지 않는 장기적 개념이다.
③ 생산중단점에서 초과이윤이 0이다.
④ 완전경쟁기업은 장기에 가격이 평균비용곡선의 최저점보다 낮으면 시장에서 나가고, 높으면 시장에 진입한다.

10 | 다음 중 소비자보다 생산자에게 조세의 귀착이 더 크게 발생하는 상황은?

① 비탄력적인 수요와 탄력적인 공급
② 탄력적인 수요와 비탄력적인 공급
③ 탄력적인 수요와 탄력적인 공급
④ 비탄력적인 수요와 비탄력적인 공급

11 | 공급을 증가시키는 요인, 즉, 공급곡선을 우측으로 이동시키는 요인과 가장 거리가 먼 것은?

① 생산요소 가격의 하락
② 생산비용을 절감하는 기술의 개발
③ 생산요소 가격의 상승
④ 생산자 수의 증가

12 | 공공재에 대한 다음 설명 중 옳지 않은 것은?

① 시장실패를 초래한다.
② 정부의 직접적 공급이 해결책일 수 있다.
③ 공공재의 수요곡선은 개인의 수요곡선을 수평으로 합하여 구할 수 있다.
④ 비배제성으로 공공재의 무임승차문제가 발생한다.

○13 | 비용에 대한 다음 설명 중 가장 옳지 않은 것은?

① 경제적 비용은 암묵적 비용(잠재 비용)을 의미한다.
② 단기평균비용은 평균가변비용과 평균고정비용의 합이다.
③ 한계비용은 생산물이 한 단위 늘어날 때 추가적으로 발생하는 비용이다.
④ 한계비용곡선은 평균비용곡선과 평균가변비용곡선의 최저점을 통과한다.

○14 | 라면과 김치가 보완관계에 있다. 김치의 생산요소인 배추가격만 상승할 때의 경제적 결과로 가장 거리가 먼 것은?

① 라면의 수요 감소　　　② 김치 가격 상승
③ 라면 거래량 감소　　　④ 라면 가격 상승

○15 | 다음 중 완전경쟁시장에서 기업의 단기적 의사결정으로 가장 옳은 것은?

① 평균비용곡선 위의 한계비용곡선이 이 기업의 공급곡선이 된다.
② 평균비용곡선이 U자 형일때, 평균비용곡선의 최저점이 시장가격일 때, 생산활동을 중단한다.
③ 손실이 발생하는 즉시 생산을 중단한다.
④ 평균비용곡선이 U자 형일때, 가격과 평균비용이 일치할 때, 손익분기점이 형성된다.

○16 │ 수요와 공급곡선에 대한 설명 중 틀린 것은?

① 시장수요곡선과 시장가격 사이의 면적으로 사회 전체의 소비자 잉여를 구할 수 있다.

② 가로축과 세로축이 각각 수량과 가격으로 이루어진 평면에서, 공급법칙에 따라 공급곡선은 우상향하게 그릴 수 있다

③ 수요곡선의 높이는 한계지불의사금액을 의미한다.

④ 시장수요곡선은 개별수요곡선의 수직 합으로 구할 수 있다.

○17 │ 다음 상황에서 갑돌이는 삼겹살 몇 g을 소비하고, 그때 소비자 잉여는 얼마인가?

갑돌이가 식당에서 삼겹살을 주문하려고 한다. 첫 200g에 대해 최대 10,000원을 지불할 의사가 있다. 두 번째 200g에 대해서는 8,000원, 세 번째 200g에 대해서는 6,000원, 네 번째 200g에 대해서는 4,000원의 지불의사가 있다. 삼겹살 200g의 시장 가격이 5,000원이다.

① 삼겹살 소비량 400g, 소비자 잉여 8,000원

② 삼겹살 소비량 800g, 소비자 잉여 1,000원

③ 삼겹살 소비량 200g, 소비자 잉여 5,000원

④ 삼겹살 소비량 600g, 소비자 잉여 9,000원

18 다음 설명 중 가장 옳지 않은 것은?

① 다른 요소가 일정할 때, 생산요소인 노동의 임금이 상승하면 공급곡선은 좌측으로 이동하고 균형가격은 상승하며 균형거래량은 감소한다. 따라서 사회적 후생은 감소한다.

② 공유자원은 비배제성으로 자원 낭비를 초래할 수 있으며 시장실패를 초래한다. 따라서 정부는 공유자원에 대해 소유권을 명확하게 하거나 사용에 대해 세금을 부과함으로써 문제를 해결할 수 있다.

③ 최고가격제에서는 가격상한을 시장균형가격보다 높게 정해야 실효성이 있다. 실효성이 있는 최고가격제에서는 초과수요가 발생한다.

④ 부정적인 외부효과로는 공장의 하천 폐수방류가 대표적이며 시장거래량에서는 사회적 후생의 감소가 발생한다.

17강 거시경제학의 기초

NOTE 미시경제학과 거시경제학

- 미시경제학(microeconomics)
: 개별경제주체들(개인, 기업 등)의 의사결정에 초점
: 개별시장의 작동 및 성과에 대해서 분석
: 개별소비자의 예산제약하에 효용극대화를 위한 의사결정
: 개별생산자의 이윤극대화를 위한 행동분석
: 개별소비자의 수요곡선과 개별생산자의 공급곡선
: 개별상품의 시장수요곡선과 시장공급곡선
: 개별상품의 시장균형, 가격과 거래량

- 거시경제학(macroeconomics)
: 개인보다 더 큰 경제단위인 가계, 기업, 정부의 의사결정
: 경제 전체(한 국가 경제)의 구조와 작동 방식
: 경제의 주요 총량들(총계변수 : 국내총생산(GDP), 물가수준, 인플레이션, 실업률, 경제성장률, 환율)이 어떻게 결정되고 어떠한 관계가 있는지를 분석
: 경제성장(장기적 총생산 변화), 경기순환(경기변동, 단기적 총생산 변화), 화폐와 금융, 국제무역, 국제금융
: 총수요관리정책(재정정책과 금융정책)

✅➕ 구성의 오류

▪ 미시경제학과 거시경제학의 관계

: 개별경제주체들의 상호작용을 통해 경제 전체의 성과가 나타나므로 미시경제학과 거시경제학은 서로 밀접한 연관을 가짐

: 거시경제주체의 의사결정을 이해하기 위해서는 미시경제학에서 다루는 개별경제주체의 의사결정 원리를 살펴보아야 함

: 그러나 거시경제적 현상은 개별경제주체 선택의 단순 합과는 동일하지 않음

▪ 구성의 오류(fallacy of composition)

: 전체는 부분들 사이의 복잡한 상호작용을 포함하기 때문에 부분들의 단순 합과는 다름

→ 부분들만 봐서는 전체를 제대로 파악할 수 없음

▪ 거시경제의 역설

: 미시적으로는 개별경제주체들의 합리적인 선택과 행동들의 상호작용이 거시경제적으로는 비합리적인 결과를 낳는 현상

▪ 거시경제의 역설 예시

: 절약의 역설(케인즈)

: 경기침체 시 개별 경제주체들의 지출감소는 합리적 선택

→ 경제 전체의 수요 위축 → 생산 감소

→ 실업 증가와 소득 감소 → 경기침체 악화

: 경기침체 시 미시적으로는 비합리적인 행위들이 오히려 거시적으로는 바람직할 수 있음(서로 다른 분석모형 필요)

KEY 01 국내총생산(GDP)

1. 국내총생산(GDP)과 국민총생산(GNP) 비교

GDP	GNP
• 일정기간 동안(유량)	• 일정기간 동안(유량)
• 한 나라의 국경 안에서	• 한 나라의 국민들이
• 생산된	• 생산한
• 모든 최종생산물의	• 모든 최종생산물의
(중간생산물 중복계산 안함)	(중간생산물 중복계산 안함)
• 시장가치	• 시장가치

2. GDP의 두 가지 계산방법

농경지(0원) → 농민의 밀재배(17억 원) → 제분업자의
밀가루(24억원) → 빵 제조업자(30억 원) → 소비자

① 최종생산물의 시장가치의 총합
• 빵 제조업자가 빵의 가치(30억 원)
② 부가가치의 총합
• 생산된 상품가치 - 중간투입물의 가치
• 17억 원(밀) + 7억 원(밀가루) + 6억 원(빵) = 30억 원
※ 중간투입물
: 생산과정에 투입하기 위해 구매하는 생산물이면서 동시에
한 번의 생산과정에서 모두 소모되어 사라지는 생산물

KEY 02 국내총생산(GDP)의 유용성과 한계

1. 국내총생산(GDP)의 유용성
① 경제활동 수준을 나타내는 지표
• 경제성장 파악에 유용한 지표

2. GDP의 한계
① 시장거래의 대상이 되지 않는 것은 제외
• 육아 및 주부가사노동 등의 가내생산 제외
② 합법적 경제거래만 대상
• 지하경제 제외 → 과소추정
③ 삶의 질 파악에 한계와 개인의 후생 반영의 어려움
• 여가 가치의 배제(생산과 관련된 시간소비만 인정)
• 생산과정에서 유발하는 외부성 배제
: 환경오염 → Green GDP(오염의 피해액을 고려)
: 병원 방문 증가, 오염방지시설은 GDP 증가 → 과다계상
• 소득분배의 형평성을 고려하지 않음
• 생산물의 질적 변화를 고려하지 않음
④ 물적 자본의 감가상각을 고려하지 않음

평가방법에 따른 여러 가지 GDP

▪ 명목GDP

: 생산된 최종재화 및 서비스의 총가치를 현재 시장가격을 사용하여 계산

: 그 해의 가격(당해연도 가격) × 그 해의 생산물

▪ 실질GDP

: 생산된 최종재화 및 서비스의 총가치를 기준 연도의 가격(불변가격)을 사용하여 계산실(오로지 생산량 변화만을 나타냄)

: 시간에 따른 총생산 규모의 변화 측정에 바람직한 지표

: 기준연도의 가격 × 그 해의 생산물

▪ GDP디플레이터(GDP deflator)

: 기준연도에 비해 물가가 얼마나 상승했는지를 알 수 있는 지표로서 국내에서 생산되는 모든 재화와 서비스 가격을 반영하는 물가지수

: 국내 가격뿐 아니라 수출입 가격의 변동까지 포함하기에 국가 전체적인 물가변동을 측정할 수 있음

: 기준년도의 GDP디플레이터 = 100

$$: \text{GDP 디플레이터} = \frac{\text{명목GDP}}{\text{실질GDP}} \times 100$$

$$= \frac{\text{그 해의 가격} \times \text{그 해의 생산물}}{\text{기준 연도 가격} \times \text{그 해의 생산물}}$$

$$= \frac{\text{그 해의 가격}}{\text{기준 연도의 가격}}$$

C KEY 03 GDP측정의 세 측면

1. 국민소득 3면 등가의 원칙
① 생산, 지출, 분배(소득)
- 생산 없이 소득(분배) 없고 소득 없이 지출 없고 지출 없이 생산 없음

: 생산국민소득 ≡ 분배국민소득 ≡ 지출국민소득

생산 측면	• 생산국민소득(생산GDP) : 매 생산과정의 부가가치 합 : 최종생산물의 시장가치의 총합 : 중간투입물 제외 • GDP(국내총생산), GNP(국민총생산)
분배 측면	• 분배국민소득(분배GDP) : 생산에 기여한 생산요소소득 : 임금 + 지대 + 이자 + 이윤 : 근로소득 + 자본소득 + 정부소득 • GDI(국내총소득), GNI(국민총소득)
지출 측면	• 지출국민소득(지출GDP) : 최종생산물에 대한 지출 : 소비지출 + 투자지출 + 정부지출 + 순수출 • GDE(국내총지출)

KEY 04 생산GDP ≡ 분배GDP

1. 분배측면에서의 GDP 측정
① 분배국민소득 구성
• 생산한 부가가치는 근로소득과 자본소득, 정부소득으로 분배됨
• 근로소득 = 임금 - 가계의 조세
• 자본소득 = 생산한 부가가치 - 임금 - 기업의 조세
: 자본의 소유자(기업의 소유주)에 대한 보상
• 정부소득 = 가계와 기업이 납부하는 조세
② 분배GDP = 근로소득 + 자본소득 + 정부소득

2. 생산GDP ≡ 분배GDP
① 생산GDP ≡ 최종생산물의 총가치 ≡ 부가가치의 총합
② 분배GDP ≡ 근로소득 + 자본소득 + 정부소득
③ 생산GDP는 부가가치의 총합이고 부가가치는 모두 소득으로 분배되기 때문에 그 크기가 반드시 분배GDP와 동일함

CKEY 05 생산GDP ≡ 지출GDP

1. 지출측면에서의 GDP 측정

가계	기업	정부	해외부문
소비재	투자재	공공재	수출재
소비지출 C	투자지출 I	정부지출 G	순수출 (수출-수입) NX = EX - IM

① 지출GDP = 소비지출 + 투자지출 + 정부지출 + 순수출
② 투자지출 = 고정투자 + 재고투자 + 신규주택투자
• 기업의 투자지출
: 고정투자 = 새로운 자본재의 구매(설비의 구매)
: 재고투자 = 기업이 보유한 재고의 변화분
• 가계의 투자지출
: 해당 기간에 새로 지어진 주택의 구매
③ 정부지출 = 정부구매
④ 순수출 = 수출 - 수입 → 무역수지

2. 생산GDP ≡ 지출GDP
① 생산GDP ≡ 최종생산물의 총가치 ≡ 부가가치의 총합
② 지출GDP ≡ 소비지출 + 투자지출 + 정부지출 + 순수출
③ 최종생산물이 어떠한 용도로든 구매자들에 의해 구매가 됨

QUIZ **28** 경제 전체의 생산, 지출, 소득(분배) 각각의 시장 가치가 같다는 것과 관련된 것은?

① 승수효과　　　　　　② 국민소득 삼면등가의 원칙
③ 낙수효과　　　　　　④ 구성의 오류

QUIZ **29** 다음은 국내총생산에 관한 설명이다. 적절치 않은 것은?

① 중간생산물의 시장가치의 총합으로 계산된다.
② 생산, 지출, 소득 세 측면에서 측정해보면 항등적으로 같다.
③ 주부의 육아나 가사노동은 포함되지 않는다.
④ 외부경제는 반영되지 않는다.

QUIZ **30** 다음 설명 중 가장 옳지 않은 것은?

① 총생산 규모의 시간에 따른 변화를 측정할 때, 명목GDP를 사용하는 것이 바람직하다.
② GDP디플레이터는 기준연도와 비교해서 현재의 가격이 평균적으로 몇 % 변화했는지를 나타낸다. 즉, 물가가 몇 % 변화했는지를 나타낸다.
③ 실질GDP는 가격의 변화가 영향을 끼치지 않는, 즉 오로지 생산량의 변화만을 나타내는 지표이므로 시간에 따른 총생산 규모의 변화를 측정하기에 명목GDP보다 더욱 바람직한 지표이다.
④ 생산GDP는 부가가치의 총합이고 부가가치는 모두 소득으로 분배되기 때문에 그 크기가 반드시 분배GDP와 동일하다.

KEY 06 국내총생산의 국제비교(1)

1. 1인당 실질GDP
① 개개인의 실질구매력을 반영
- 1인당 실질GDP $= \dfrac{\text{실질GDP}}{\text{인구}}$
- 인구규모에 따른 영향을 분리
- 물가상승의 영향을 분리

② 한계
- 수출품과 수입품의 물량변화가 없더라도 국제가격이 변화하면 실질구매력이 변화하므로 국가간 비교에 한계가 있음

2. 국내총소득(GDI : gross domestic income)
① 교역조건 변화에 따른 실질구매력의 변화를 반영
- 수출품과 수입품 물량의 변화는 없더라도 상대가격이 변하면 실질구매력이 변화함으로 교역조건을 고려
: 국적에 상관없이 국내에 발생한 생산활동(GDP)에 대해 얻어지는 소득 합 → 환율, 수출입 단가 변화로 생긴 무역 손익이 반영됨
- 국내총소득 = 국내총생산 + 교역조건에 따른 실질무역손익
  GDI = GDP + 교역조건에 따른 실질무역손익
- 1인당 실질GDI

KEY 07 국내총생산의 국제비교(2)

1. 국민총소득(GNI : Gross National Income)
① 국적이 있는 개개인의 실질구매력을 반영
• 한국 국민이 한국을 포함하여 전 세계에서 생산활동을 통해 얻은 소득 합을 나타내는 지표 → 한국 국민이 해외에서 얻은 소득(대외수취요소소득)은 포함하고 한국 내에서의 외국인 소득(대외지급요소소득)은 제외함
• 국민총소득 = 국내총소득 + 대외순수취요소소득
        = GDI + (대외수취요소소득 - 대외지급요소소득)
• 1인당 실질GNI
※ 경제성장률은 GDP가, 국민소득은 GNI가 쓰임

2. 구매력평가(Purchasing Power Parity) GDP
① 국가마다 서로 다른 물가수준
• 각 국 통화의 구매력이 서로 다름
: 물가가 높을수록(평균가격이 높을수록) 해당 화폐로 구매할 수 있는 상품의 양(해당 통화의 구매력)이 낮아짐
  • PPP GDP
: 모든 국가의 GDP를 달러 단위로 환산할 때 각 국각의 물가 차이를 조정해준 GDP → 구매력 차이를 더 잘 드러냄
: 계산할 때 물가가 상대적으로 낮은 국가의 GDP는 높게, 물가가 상대적으로 높은 국가의 GDP는 낮게 조정해줌
: 환율의 고평가, 저평가를 판단

17강 | 문제풀이 연습

01 | 다음 중 거시경제와 관련된 내용이 아닌 것은?

① 균형가격　　② 물가　　③ 경제성장　　④ 실업률

02 | 경기가 침체되면 개인들은 절약하는 것이 합리적(미덕)이라는 생각과 관련이 가장 먼 것은?

① 절약의 역설　　② 부분에 옳은 것이 전체에도 옳음
③ 구성의 오류　　④ 인과의 오류

03 | 다음 서술 중 옳지 않은 것은?

① 각 국가마다 생활에 필요한 재화나 서비스를 담은 소비바구니를 자국화폐로 구입가격의 합계를 계산하여 비교대상국가와의 상대적 크기로 환산한 지수를 구매력평가지수라고 한다.
② 실질GDP는 기준연도의 가격(불변가격)을 사용하여 계산된 국내에서 생산된 최종 재화 및 서비스의 총가치이다.
③ 국내총생산(GDP)은 일정기간 동안 한 나라의 국경 안에서 생산된 모든 최종생산물의 시장가치의 총합이다.
④ 명목GDP는 국내에서 생산되는 모든 재화와 서비스 가격을 반영하는 물가지수이다.

04 | 국내총생산(GDP)에 대한 다음 설명 중 가장 옳지 않은 것은?

① 실질GDP는 물가상승의 영향을 분리할 수 있다.

② 생산, 지출, 소득 세 측면에서 측정해 보면 항등적으로 같다.

③ 최종생산물의 시장가치의 총합으로 계산된다.

④ 주부의 육아나 가사노동도 포함된다.

05 | GDP가 한 경제의 후생지표로서 충분하지 못한 이유와 가장 거리가 먼 것은?

① 외부불경제효과를 계상하지 않는다.

② 여가를 계상하지 않는다.

③ 시장에서 거래된 재화와 서비스뿐만 아니라 거래되지 않은 재화와 서비스도 포함된다.

④ 사회구조나 관습의 변화 때문에 후생의 변화 없이도 GDP가 증가할 수 있다.

06 | 다음 설명 중 옳지 않은 것은?

① 구매력평가로 자국화폐의 고평가, 저평가를 판단할 수 있다.

② 구매력평가GDP는 물가의 차이를 조정해준 GDP이다.

③ 실질GDP는 물가상승의 영향을 분리할 수 있다.

④ GDP디플레이터는 경제가 얼마나 성장했는지를 알 수 있는 지표이다.

○07 | 다음 가운데 GDP계상에 포함되지 않는 것은?

① 가정주부의 가사노동   ② 공무원의 보수
③ 인기가수의 공연입장료   ④ 기업의 재고투자

○08 | GDP디플레이터가 의미하는 것은?

① 후생지수   ② 경기침체지수
③ 물가지수   ④ 실질생산지수

○09 | 다음 ( )에 각각 알맞은 말은?

GDP의 장기적 추세, 즉 한 국가의 장기적 총생산 변화 추세를 (   )이라 하며, GDP의 단기적 추세, 즉 단기적 총생산 변화 추세를 (   )이라 한다.

① 경기순환 - 경기변동   ② 경제성장 - 경제발전
③ 경제성장 - 경기순환   ④ 경기순환 - 경제성장

○10 | 올해의 명목GDP가 240조원이고 2000년을 기준으로 한 GDP디플레이터가 120이다. 올해의 실질GDP는?

① 240조원   ② 288조원
③ 120조원   ④ 200조원

◯11 | 다음 중 한 국가 내에서 일정기간 동안 생산된 재화와 서비스의 시장가치를 말하는 것은?

① GNP   ② GDI

③ GDP   ④ GNI

◯12 | 다음 설명 중 옳지 않은 것은?

① 개방경제체제에서 가계, 기업, 정부, 해외가 주요 거시경제의 주체이다.

② 거시경제의 대표적 시장으로는 산출물(재화와 서비스)시장, 요소(생산요소)시장, 금융시장 등이 있다.

③ 거시경제 주체 중 정부는 국민들로부터 세금을 거둬들여 각종 사업을 수행하지만 상품을 생산하거나 구매하지는 않는다.

④ 금융시장은 각종 금융자산이 거래되는 시장으로 직접적 혹은 간접적인 방식으로 대부와 차입이 이루어진다.

◯13 | 다음 중 올해 우리나라 GDP에 포함되는 것은?

① 올해 우리나라에서 일본 범죄조직이 벌어들인 음성적 소득

② 3년 전에 생산된 중고자동차의 가치

③ 올해 미국 기업이 우리나라의 공장에서 생산한 제품

④ 올해 우리나라 기업이 중국의 공장에서 생산한 제품

14 다음 서술 중 가장 옳지 않은 것은?

① 국내총소득(gross domestic income)은 국내총생산과 교역조건에 따른 실질무역손실의 합으로, 교역조건이 실질구매력에 미치는 효과를 반영한다.

② 국민총소득은 국내총소득과 대외순수취요소소득의 합으로, 국가 간 소득거래에 따른 자국 국민의 구매력 변화분을 반영하는 총계지표이다.

③ 1인당 실질국내총생산은 실질국내총생산을 사용하여 물가 변화에 따른 영향을 제거하고 인구수로 나누어 줌으로써 인구 규모에 따른 영향을 제거했다.

④ 구매력평가 GDP는 모든 국가의 GDP를 달러 단위로 환산할 물가의 차이를 조정해준 GDP로, 계산할 때 물가가 상대적으로 낮은 국가의 GDP는 낮게, 물가가 상대적으로 높은 국가의 GDP는 높게 조정해 준다.

15 GDP의 한계에 대한 다음 서술 중 거리가 먼 것은?

① 분배상태, 복지제도 확립정도 등을 나타내주지는 않는다.

② 삶의 질을 정확히 반영하기 어렵다.

③ 시장에서 거래되지 않으면 GDP 포함되지 않기 때문에 경제적 후생을 높게 평가(과대 평가)한다.

④ 실제 자본량의 변화(감가상각)를 제대로 반영할 수 없다.

○16 | 다음 설명 중 틀린 것은?

① 생산GDP는 부가가치의 총합이고 부가가치는 모두 소득으로 분배되기 때문에 그 크기가 반드시 분배GDP와 동일하다.
② 생산GDP ≡ 지출GDP ≡ 분배GDP
③ 지출GDP ≡ 근로소득 + 자본소득 + 정부소득 - 투자지출
④ 생산GDP ≡ 최종생산물의 총가치 ≡ 부가가치의 총합

○17 | 명목국내총생산, 실질국내총생산, GDP디플레이터, 구매력 기준과 관련된 설명으로 옳지 않은 것은?

① 명목GDP가 실질GDP보다 크면 화폐가치는 상승했다.
② GDP디플레이터로 물가가 얼마나 상승했는지 알 수 있다.
③ 실질GDP는 물가 상승의 영향을 분리할 수 있다.
④ 구매력평가 GDP는 각 국가의 물가차이를 조정한 GDP이다.

○18 | 국내총생산(GDP)에 대한 설명으로 옳지 않은 것은?

① 이번 기간에 판매되지 않은 중간재는 일단 최종재로 간주하여 재고투자로 이번 기간의 국내총생산에 포함한다.
② 지난 기간에 생산된 재화와 서비스는 이번 기간의 국내총생산에 포함하지 않는다.
③ 가계의 새로운 주택 구입은 소비지출에 해당한다.
④ 한 국가 안에서 생산된 재화와 서비스를 포함한다.

18강 경제성장

NOTE 경제성장

- 경제성장의 정의
: 한 경제의 1인당 국내총생산(GDP)의 증가
- 경제성장률 측정

$$: \frac{1인당 국내총생산_{t+1} - 1인당 국내총생산_t}{1인당 국내총생산_t}$$

- 경제성장의 성격 - 지수적 성장
: 한 경제의 성장은 과거의 성장 위에 만들어지고 그 효과가 누적됨
: 과거에 이뤄진 성장의 효과는 누적되어 현재에 영향을 미침
: 성장률의 작은 차이가 지속될 경우 그 효과가 누적되어 시간이 지날수록 1인당 국내총생산의 차이를 더욱 크게 만듦
: 경제성장의 지속과 속도가 중요한 의미가 있음을 알려줌
- 국가간 소득격차 - 1인당 GDP 기준
: 18세기 후반 산업혁명 이후 경제성장의 차이가 커짐
: 비교적 상당한 정도 양(+)의 값으로 지속적 성장
- 따라잡기 성장
: 상대적으로 더 가난한 나라들이 기술적 선진국들에서 발명된 지식과 기술을 이용하여 소득을 증가시키는 성장

KEY 01 경제성장과 총생산함수

1. 총생산함수

① 경제 전체의 총생산함수

• 총생산 = 기술수준 × F(물적자본, 노동의 총효율성)

• 총생산함수는 기술수준과 물적자본, 효율적 노동의 투입으로 경제전체의 총생산규모가 결정된다는 것을 보여주는 함수로서 한 나라의 경제성장을 이해하는데 유용함

• 노동의 총효율성

: 노동자가 축적하고 있는 평균적 숙련수준이나 인적자본으로 계산

: 노동의 양이 아니라 질이 다르면 생산기여도가 다름

: 동일 노동자 수더라도 숙련수준이 높으면 더 많이 생산

• 물적자본

: 기계장치, 건물 등 생산에 사용되는 모든 재화

• 기술

: 인적, 물적 자본을 효율적으로 사용하는 방식

: 생산지식 또는 생산과정이라 할 수 있음

: 동일 양의 노동과 자본이더라도 기술수준이 높으면 더 많이 생산

⟨KEY 02 지속적 경제성장

1. 물적자본
① 물적 자본과 한계생산 감소
- 물적자본의 한계생산은 양(+)이지만 증가하는 정도는 감소 (한계생산물체감의 법칙 - 어느 한 생산요소의 사용을 늘리더라도 늘어난 생산요소가 생산에 기여하는 정도는 점점 감소하는 현상)
- 물적자본의 축적만으로 지속적 성장을 할 수 없음

2. 인적자본
① 인적자본과 한계생산 감소
- 인적자본의 한계생산은 양(+)이지만 증가하는 정도는 감소 (한계생산물체감의 법칙)
- 인적자본의 축적만으로 지속적 성장을 할 수 없음
: 인구와 교육의 증가만으로 지속적 성장은 불가능

3. 기술진보
① 기술진보와 지속적 성장
- 새로운 기술(기술진보)은 과거의 지식 위에 더해지는 것이므로 수확체감에 해당하지 않음
- 지속적 성장을 가능하게 함
- 총생산함수 상방이동

$\binom{KEY}{03}$ 국가 간 경제성장의 차이(1)

※ 총생산함수에서 물적자본, 인적자본, 기술수준이 유사한 경우일지라도 국가들 간에 동일한 성장경로를 밟지는 않는다는 경험으로부터 이 함수만으로 국가 간 경제성장의 차이를 설명하기에는 한계가 있음

1. 지리적 요인
① 지리적 특성(기후와 생태환경)
• 부유한 국가는 온대지역, 가난한 국가는 열대지역에 위치함
: 지리적 특성으로 기후와 생태환경이 결정되고 경제적으로도 영향을 미침
• 농업의 경우 부분적으로 설명됨
• 산업사회에서 장기적 경제성장의 기술적 부분은 설명할 수 없음
• 유럽에서 국가간 경제성장, 남북한 경제성장의 차이를 설명할 수 없음

2. 문화적 요인
① 서로 다른 가치와 신념이 경제적 성과에 영향을 미침
• 서유럽의 개신교(프로테스탄트 정신)
• 반례
: 카톨릭 국가의 경제성장 → 기독교 국가의 성장으로 바뀜
• 기독교 국가의 성장에 대한 반례
: 일본의 성장, 한국의 성장 등

KEY 04 국가 간 경제성장의 차이(2)

1. 제도적 요인

① 경제거래에 관한 규칙

• 유인(인센티브)체계로서의 기능

: 사유재산 보장 → 열심히 일하고자 하는 동기부여

: 특허 → 기술개발 이득을 보장함으로써 연구개발, 기술혁신

: 은행과 금융제도 → 물적자본 조달

: 대중교육제도 → 인적자본 축적

: 보이지 않는 손의 기능으로 시장의 중요성 강조

: 정부는 교환과 계약을 보장하는 공공서비스와 인프라 건설

• 남한과 북한

: 자본주의 시장경제 vs. 사회주의 계획경제

: 지리적·문화적 차이 없음 → 서로 다른 제도 채택에 의해 경제격차가 발생함

QUIZ **31** 한 국가의 총생산 능력을 증가시키는 요인과 가장 거리가 먼 것은?

① 생산성에 기반한 노동시간

② 장기적인 명목통화의 증가

③ 교육에 의한 인적자본의 축적

④ 물리적인 생산설비의 확충

제도와 경제성장

추출적 제도	• 착취적 경제제도 : 통제력을 갖고 있는 정치엘리트가 자원을 추출하고 직접 배분함 : 지속적 성장을 가능하게 하는 인센티브가 부재함 : 창조적 파괴는 지배엘리트에 위협이 되어 선택되지 않음 : 경제침체
포괄적 제도	• 포용적 경제제도 : 사유재산권 보장 : 창조적 파괴(혁신)와 경제성장 : 기존의 경제적 지위를 보장하지 않음 → 기업, 노동자 모두에게 투자, 혁신, 근면을 강제함 • 지속적 성장 가능 • 18세기 산업혁명이 영국에서 출발한 이유를 설명해 줌

18강 | 문제풀이 연습

01 한 국가의 경제성장과 관련된 다음 내용 중 적절하지 않은 것은?

① 어떤 한 경제의 1인당 국내총생산 증가로 정의된다.

② 과거의 성장과는 독립적으로 이루어지는 특성을 갖는다.

③ 지수적 성격을 갖는다.

④ 과거의 효과가 누적되어 현재에 영향을 미친다.

02 한 국가의 총생산함수의 구성요소가 아닌 것은?

① 물적자본 　　　　　② 한계생산물

③ 기술수준 　　　　　④ 노동

03 다음은 경제성장에 대한 설명이다. 가장 거리가 먼 내용은?

① 지수적 성격을 갖는다.

② 1인당 GDP 증가로 정의된다.

③ 산업혁명 이후 국가 간 차이가 커졌다.

④ 과거의 성장과는 독립적으로 이루어진다.

198

04 다음은 경제성장과 총생산함수에 대한 설명이다. 가장 옳지 않은 내용은?

① 경제성장은 과거의 성장 위에서 만들어지므로 그 효과가 누적되고 지수적 성격을 갖는다.

② 기술진보가 이루어지면 총생산함수는 상방으로 이동한다.

③ 물적자본과 인적자본의 축적만으로는 지속적 성장을 할 수 없다.

④ 총생산함수는 한계생산물체증의 법칙이 적용된다.

05 각종 제도는 경제성장에 영향을 미친다. 다음 중 인적자본 축적에 영향을 미치는 제도는?

① 은행과 금융제도　　　　② 특허제도

③ 대중교육제도　　　　　④ 재산권 보장

06 다음 중 한계생산물 감소(체감)의 법칙이 나타나는 이유로 가장 타당한 설명은?

① 다른 생산요소의 투입량과 기술수준이 변하지 않기 때문

② 다른 생산요소의 투입량은 변하지 않고 기술수준만 변하기 때문

③ 다른 생산요소의 투입량은 변하지만 기술수준이 변하지 않기 때문

④ 다른 생산요소의 투입량과 기술수준이 모두 변하기 때문

07 | 성장에 기여하기 위해 제도가 갖추어야 할 조건에 대한 설명 중 가장 거리가 먼 것은?

① 노동자가 노동을 할 유인과 생산성 제고를 위해 노력할 유인이 존재해야 한다.

② 경쟁에서 이긴 기업은 더 많은 이윤을 획득하고 경쟁에서 도태된 기업은 결국은 도산의 위험에 직면해야 한다.

③ 사적재산권을 보호하고 경제적 지위는 보호하지 않아야 한다.

④ 경제적 지위가 보호되도록 하여 경쟁에서 패배하더라도 손해를 보지 않게 한다.

08 | 다음 중 국가 간 경제성장의 차이를 설명하는 세 가지 근본적 성장 요인과 가장 거리가 먼 것은?

① 기술적 요인　　　② 가치관과 문화적 신념
③ 제도적 요인　　　④ 지리적 요인

09 | 다음 중 추출적 제도와 거리가 먼 것은?

① 지속적인 성장에 필요한 경제적 유인이 부재함

② 사적재산권의 보호가 제대로 이뤄지지 않음

③ 다양한 집단들 사이의 제약과 견제, 법의 지배가 작동함

④ 엘리트가 생산성이 높은 활동에 자원을 직접 배분함

10 | 다음은 경제성장과 총생산함수에 대한 설명이다. 가장 옳지 않은 내용은?

① 기술진보 없이 물적자본이나 인적자본이 계속 증가할 경우 총생산의 증가분이 감소하기 때문에 총생산이 거의 증가하지 않는 상태에 도달한다.

② 주어진 생산요소 하에서 기술수준이 높을수록 총생산의 크기 역시 증가하며 기술수준이 높을수록 모든 물적자본에 대해서 총생산의 크기가 증가한다.

③ 다른 조건이 일정할 때, 인적자본의 투입이 증가할수록 총생산 역시 증가하지만 인적자본의 투입이 많을수록 1단위 추가투입에 따른 총생산의 증가분이 감소한다.

④ 다른 조건이 일정할 때, 물적자본의 투입이 증가할수록 총생산 역시 증가하고 물적자본의 투입이 많을수록 1단위 추가투입에 따른 총생산의 증가분이 커진다.

11 | 경제제도와 관련된 다음 내용 중 적절치 않은 것은?

① 포괄적 경제제도는 지속성장 인센티브를 내재하고 있다.
② 포괄적 경제제도는 사유재산권을 보장 한다.
③ 추출적 경제제도에서는 창조적 파괴를 인정한다.
④ 추출적 경제제도에서는 정치엘리트가 자원의 추출 및 배분에 관여한다.

⟳12 │ 다음 중 경제성장의 원인과 가장 거리가 먼 것은?

① 물적자본   ② 통화량
③ 인적자본   ④ 기술진보

⟳13 │ 경제성장에 대한 다음 설명 중 가장 옳지 않은 것은?

① 기술진보는 지속적 성장의 원동력이다.
② 기술진보는 누적적이기 때문에 기술진보 과정에서는 한계생
산물 감소가 발생하지 않는다.
③ 기술진보는 물적자본과 인적자본의 효율성을 계속해서 높이
기 때문에 지속적 성장을 가능케 한다.
④ 물적자본은 재화와 서비스를 생산하기 위한 방법들과 그것
에 대한 사회 전체적인 이해를 의미한다.

⟳14 │ 경제성장에 대한 설명으로 가장 옳지 않은 것은?

① 지리적 특성으로 경제성장의 차이가 있을 수 있지만, 기술
발전은 불리한 지리적 조건을 해소할 수 있다.
② 경제적 지위를 보장하면 지속적인 경제성장이 가능하다.
③ 교육 기회가 소수의 특권층에게만 주어지면 인적자본의 형
성이 제한되어 성장경로를 이탈할 수 있다.
④ 문화적 환경이 유사한 국가에서 경제성장 경로의 차이가 발
생할 수 있다.

19강 노동시장 분석

NOTE 노동의 한계생산가치

- 노동의 한계생산
: 노동 한 단위가 추가로 투입됐을 때 증가하는 생산량
: 한계생산체감의 법칙이 성립
- 노동의 한계생산가치(value of marginal product of labor)
: 노동의 한계생산 × 시장가격
: 노동 1단위를 더 고용할 때 기업이 얻을 수 있는 추가적 수입을 나타냄
: 노동의 한계생산물과 시장가격이 클수록 개별기업의 노동수요가 크고 따라서 시장의 노동수요도 커짐
: 한계생산은 체감하므로 노동의 한계생산가치는 우하향
- 기업의 노동수요 결정
: 노동의 한계생산가치 > 임금 → 고용을 늘림
: 노동의 한계생산가치 < 임금 → 고용을 줄임
: 노동의 한계생산가치 = 임금 → 최적 고용량
: 최적의 노동수요량(고용량)은 노동의 한계생산가치와 임금수준이 같을 때 결정됨
- 노동수요는 곧 노동의 한계생산가치곡선
: 임금과 노동수요량은 음(-)의 관계

CKEY 01 노동시장 분석 - 노동수요곡선

1. 노동의 한계생산가치와 노동수요곡선

① 노동의 한계생산가치

• 고용 한 단위 증가시킬 때마다 증가하는 산출량의 시장가치

: 노동의 한계생산가치 = 시장가격 × 한계생산

• 한계생산체감

: 한계생산체감의 법칙에 의해 한계생산가치는 감소

: 계속하여 고용을 늘릴수록 총수입은 점차 감소

: 노동시장의 임금보다 노동의 한계생산가치가 높아야 고용을 늘릴 유인이 존재함

• 노동의 한계생산가치와 노동량은 음(-)의 관계

: 임금과 노동량은 음(-)의 관계

: 우하향하는 노동수요곡선

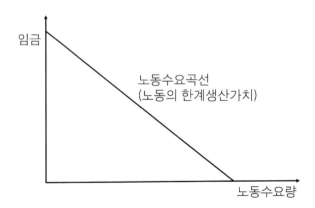

KEY 02 노동시장 분석 - 노동수요곡선의 이동

1. 노동수요곡선의 이동

① 노동수요함수

> 노동수요
> = f(임금, 생산물가격, 생산물수요, 기술, 다른 생산요소가격)

- 임금 하락 → 노동수요량 증가(노동수요곡산상의 이동)
- 생산물가격 하락 → 노동의 한계생산가치 하락 → 노동수요곡선의 왼쪽 이동
- 생산물수요 감소 → 노동수요곡선 왼쪽 이동
- 기술 발전(노동보완적 기술) → 노동의 한계생산 증가 → 노동의 한계생산가치 상승 → 노동수요곡선 오른쪽 이동
- ※ 주의
- : 기술이 노동을 대체하게 되면 노동수요곡선은 왼쪽 이동
- 다른 생산요소가격 하락 → 다른 생산요소(기계) 구입 증가 → 노동의 한계생산가치 증가 → 노동수요곡선 오른쪽 이동

KEY 03 노동시장 분석 - 노동공급곡선과 이동

1. 노동공급곡선
① 우상향하는 곡선
② 노동공급 = f(임금, 취향, 시간의 기회비용, 인구)
• 임금 상승 → 노동공급량 증가(노동공급곡선상의 이동)
• 취향의 변화
: 여성의 경제활동참여율 증가 → 노동공급곡선 우측 이동
• 시간의 기회비용
: 냉장고, 세탁기 등 보급 → 유급노동시간에 대한 기회비용 하락 → 노동공급곡선 우측 이동
• 인구변화
: 인구증가 → 경제활동인구 증가 → 노동공급곡선 우측 이동

※ 노동시장의 균형
• 균형임금, 균형노동량 결정됨
• 초과노동수요(임금 상승압력), 초과노동공급(임금하락 압력)

KEY 04 노동시장의 마찰적 요인들

※ 마찰 없는 노동시장의 특성(노동시장 균형달성 조건)
① 자유로운 고용과 해고
② 완전정보
③ 임금의 자유로운(신축적, 즉각적) 변동

1. 현실적 노동시장의 마찰적 요인 - 불완전 정보
① 노동시장의 완전정보
• 즉각적으로 취업가능 → 직장탐색 시간소요 없음
• 마찰적 실업이 존재하지 않음
② 노동시장의 불완전 정보 - 마찰적 실업
• 불완전 정보 → 직장탐색에 긴 시간 소요
: 실업률은 0이 되지 않음

2. 현실 노동시장의 마찰적 요인 - 임금의 하방경직성
① 임금의 하방경직성 - 구조적 실업
• 시장임금이 균형임금보다 높아 실업이 발생해도 시장임금이
균형임금으로 하락하지 않는 현상
: 노동의 초과공급 → 실업이 존재

임금의 하방경직성이 나타나는 이유

▪ 제도적 요인
: 최저임금제도 - 균형임금보다 높으면 균형임금 수준으로 임금이 하락하지 못함
: 노동조합의 존재 - 노동조합의 협상력이 클수록 높은 임금으로 받으며 균형임금 이상으로 임금을 상승시킴
▪ 효율임금가설
: 효율임금(efficiency wage)이란 노동자에게 유인을 제공하기 위해 균형임금보다 높은 수준의 임금을 지급하는 것을 의미
: 임금하락 = 노동자의 태만 발생 + 퇴사율 증가 + 역선택으로 생산성 높은 노동자가 먼저 퇴사
▪ 임금하락을 싫어하는 노동자들의 심리적 영향

QUIZ **32** 노동시장의 균형과 임금의 하방경직성에 대한 설명으로 가장 옳지 않은 내용은?

① 역선택 방지를 위해 기업은 자발적으로 효율임금을 지급할 수 있다.
② 노동조합과의 협상력 강화로 인해 균형수준 이상의 임금이 지급될 수 있다.
③ 임금삭감에 대한 노동자의 반대가 있다면, 임금이 낮아지지 않을 수 있다.
④ 노동시장이 완전정보를 달성해도 마찰적 실업은 존재한다.

19강 | 문제풀이 연습

○01 | 다음은 노동시장과 관련된 내용이다. 가장 적절하지 않은 것은?

① 인구가 감소하면 노동공급은 감소한다.

② 노동수요곡선은 노동의 한계생산물곡선과 일치한다.

③ 생산물가격이 하락하면 노동수요는 감소한다.

④ 최저임금제를 실시하면 비자발적 실업이 발생하기 쉽다.

○02 | 노동시장과 관련된 다음 설명 중 옳지 않은 내용은?

① 노동공급곡선은 노동의 한계생산가치곡선이다.

② 생산물가격이 증가하면 노동수요는 증가한다.

③ 인구가 증가하면 노동공급은 증가한다.

④ 임금이 변화하면 노동공급이 아니라 노동공급곡선상에서 노동공급량이 증가 혹은 감소한다.

○03 | 노동의 한계생산가치곡선이 우하향하는 이유는?

① 노동의 한계생산물 증가 ② 노동의 한계생산물 감소

③ 노동의 평균생산물 증가 ④ 노동의 평균생산물 감소

04 | 다음은 노동의 한계생산가치에 대한 설명이다. 가장 옳지 않은 것은?

① 상품가격이 상승하면 모든 노동량에 대해서 노동의 한계생산가치가 증가한다.

② 노동량과 무관한 노동의 한계생산물 증가는 모든 노동량에 대해서 노동의 한계생산가치를 증가시킨다.

③ 노동의 한계생산가치곡선은 각 임금 수준에서의 노동공급을 나타낸다.

④ 임금과 노동수요 사이에는 음(-)의 관계가 존재하므로 노동수요곡선은 우하향하는 형태를 보인다.

05 | 다음은 노동시장에 관한 내용이다. 가장 적절치 않은 것은?

① 노동시장에서는 탐색비용이 발생하므로 마찰적 실업이 존재한다.

② 임금이 신축적으로 조정이 되면 임금의 하방경직성을 피할 수 없다.

③ 임금조정에 신축성이 결여되면 하방경직성이 발생한다.

④ 효율적 임금으로 인해 임금의 하방경직성이 발생할 가능성이 높다.

06 | 완전경쟁 상황에서 노동생산성이 하락(노동의 한계생산가치 하락)하면 일반적으로 어떤 결과가 나타나는가?

① 임금 하락, 고용량 감소　　② 임금 하락, 고용량 증가

③ 임금 상승, 고용량 증가　　④ 임금 상승, 고용량 감소

07 | 노동의 한계생산가치와 관련한 다음 설명 중 가장 적절하지 않은 것은?

① 노동의 한계생산가치는 주어진 자본량과 기술수준이 하에서 노동의 투입을 1단위 증가시킬 때 발생하는 총수입의 증가분을 의미한다.

② 노동의 한계생산가치 = 상품의 가격 × 노동의 한계생산물

③ 상품의 가격이 주어졌을 때 노동량과 노동의 한계생산가치 사이에는 양(+)의 관계가 존재한다. 그 이유는 노동의 한계생산물 감소 때문이다.

④ 노동의 한계생산가치곡선은 노동량과 노동의 한계생산가치 사이의 관계를 나타낸다.

08 | 노동시장의 균형이 달성되기 위한 조건, 즉 마찰이 없는 노동시장의 특징들과 거리가 먼 것은?

① 자유로운 고용과 해고　　② 임금의 하방경직성

③ 임금의 신축적 변동　　　④ 완전정보

09 | 다음 중 효율임금(efficiency wage)에 관해 바르게 설명한 것은?

① 효율적으로 일하는 근로자에게 주는 보너스
② 노동자에 대한 효율적인 감시인 과학적 관리의 경우에 주어지는 임금
③ 다른 기업보다 더 높은 임금을 지급해 열심히 일하게 만드는 것
④ 기업지배구조가 효율적일 경우에 노동자가 받는 임금

10 | 노동수요곡선을 왼쪽으로 이동시키는 요인은?

① 생산물가격의 증가
② 생산물수요의 감소
③ 노동의 한계생산가치 하락
④ 대체 생산요소의 가격 하락

11 | 노동공급과 관련한 다음 내용 중 가장 옳지 않은 것은?

① 노동공급은 제한된 시간을 노동과 여가에 배분하는 과정에서 결정된다.
② 임금과 노동공급량은 음(-)의 관계에 있다.
③ 여성의 경제활동참여가 많아지면 노동동급은 증가한다.
④ 인구가 증가하면 노동공급이 증가한다.

12 │ 노동수요에 대한 설명 중 가장 옳지 않은 것은?

① 기업에 최적인 노동수요량은 노동의 한계생산가치와 임금수준이 같을 때 결정된다.
② 생산물가격 상승이 발생하는 경우나 기술진보로 인한 노동의 한계생산물의 증가가 이루어지면 노동의 한계생산가치가 증가하여 노동수요가 증가한다.
③ 다른 생산요소가격이 상승하면 그 요소에 대한 수요를 덜하게 되어 노동의 한계생산가치가 감소한다. 이에 따라 노동수요곡선은 왼쪽으로 이동한다.
④ 기술진보가 노동수요를 대체하는 방향으로 이루어진다면 노동수요는 증가한다.

13 │ 다음 중 노동공급곡선을 우측으로 이동시키는 요인과 거리가 먼 것은?

① 노동의 기회비용의 증가
② 인구의 증가
③ 다양한 가전기구들의 보급
④ 여성의 경제활동참여욕구 증가

14│ 노동시장의 마찰적 요인관 관련한 다음 내용 중 가장 옳지 않은 것은?

① 불완전정보 때문에 직장탐색과정에 시간이 소요됨에 따라 노동시장에는 반드시 마찰적 실업이 존재한다.

② 완전정보 상황에서는 직장탐색과정에 시간이 소요되지 않기 때문에 마찰적 실업이 존재하지 않는다.

③ 노동시장에서 시장임금이 균형보다 높은 수준을 유지하는 성질을 임금의 하방경직성이라고 한다.

④ 임금의 하방경직성으로 노동의 공급이 수요를 초과하여 일자리가 부족하기 때문에 반드시 실업이 존재하는데, 이때의 실업은 마찰적 실업과 관련된다.

15│ 다음 내용과 가장 관련 있는 것은?

- 임금이 낮을수록 노동자들의 근무태만이 심해질 수 있음
- 임금이 낮을수록 노동자들의 퇴사율이 증가할 수 있음
- 임금이 낮을수록 생산성 높은 노동자들이 더 많이 퇴직함

---

① 효율임금가설   ② 랜덤워크가설

③ 오쿤의 법칙   ④ 효율적 시장 가설

20강 실업

NOTE 노동력의 구성과 실업률

- 노동가능인구(생산가능인구, 15세 이상 인구)
: 15세 이상 인구 = 경제활동인구 + 비경제활동인구
: 경제활동 인구 = 취업자 + 실업자
: 취업자 = 1주일 간 수입을 목적으로 한 시간 이상 일한 자
         = 일시 휴직자
         = 18시간 이상 일한 무급 가족종사자
: 경제활동참가율 = 경제활동인구 ÷ 노동가능인구
: 실업률 = 실업자 수 ÷ 경제활동인구
: 취업률 = 취업자 수 ÷ 경제활동인구
: 고용률 = 취업자 수 ÷ 노동가능인구
- 비경제활동인구
: 15세 이상 인구 중 취업할 의사가 없는 전업주부, 학생, 실망노동자(discouraged worker, 구직단념자), 노약자/고령자, 환자, 군복무자, 교도소수감자(수인), 외국인

실업률 지표의 한계

▪ 실업을 과소평가
: 구직단념자와 불완전고용자로 인해 실제 실업의 정도보다 더 낮게 평가할 수 있음
▪ 구직단념자
: 노동시장 상황이 좋지 않아서 구직활동을 포기한 사람
: 노동시장의 상황이 좋아지면 취업할 의향이 있는 사람들이므로 적극적인 비경제활동인구가 아님
: 비경제활동인구로 분류되기 때문에 실업률이 감소함
▪ 불완전고용자
: 시간제(임시직)으로 일하고 있는 노동자들
: 고용의 질적 측면에서 실업자와 유사한 경우가 다수 존재
: 불완전고용자는 취업자로 분류됨으로 인해 실업자에서 불완전고용자가 되는 경우가 늘어나면 실업률은 낮아짐
: 불완전고용자를 실업자에 포함시키면 실업률은 더 높아짐

 33 노동가능인구는 100만명, 취업자는 70만명, 비경제활동인구는 20만명이다. 다음 중 틀린 것은?

① 고용률 70% 　　　　② 실업률 12.5%
③ 실업률 30% 　　　　④ 경제활동참가율 80%

KEY01 실업의 형태

자발적 실업	• 마찰적 실업 : 직업을 바꾸어 직장을 찾는 과정에서 생기는 일시적 실업으로 구직자와 일자리가 만나지 못해서 발생하는 실업 : 부문별 노동 수요·공급 불일치하거나 기술과 산업구조 급변할수록 증가 : 고용정보제공의 원활화를 위해 고용센터나 일자리센터를 운영하여 마찰적 실업을 감소시킴
비자발적 실업	• 경기적 실업 : 불경기(경기침체)에 재화와 서비스가 팔리지 않아 생산을 줄임으로 발생하는 실업 : 정부는 총수요관리정책(재정정책과 통화정책)이나 공공근로 등의 일시적 고용을 늘리는 정책으로 실업을 완화함 • 구조적 실업 : 경제구조(산업구조, 기술, 제도)변화에 따른 실업 : 발달하는 산업과 쇠퇴하는 산업 : 정부는 직업능력개발 프로그램 운영 및 고용보조금 지급

KEY 02 자연실업률

1. 자연실업률
① 경기적 실업
• 경기변동은 단기적 현상 → 경기적 실업은 단기적 실업
: 장기적으로 불황과 호황의 반복 → 경기적 실업은 0
② 장기적으로 존재하는 실업
• 언제나 직장 이동 및 구조적 변화가 이루어 짐
③ 자연실업률(Natural Rate of Unemployment)
• 장기적으로도 사라지지 않는 실업(완전고용실업률)
• 마찰적 실업과 구조적 실업을 반영하는 실업률
• 사회적으로 바람직하거나 최적의 실업률을 의미하지는 않음
: 높은 자연실업률은 노동이 비효율적으로 사용됨을 나타냄

2. 자연실업률(완전고용실업률)의 변화
① 경제의 성격에 따라 자연실업률은 변화함
• 경제활동인구의 구성변화는 자연실업률에 영향을 줌
: 숙련노동자의 실업률 낮음 → 숙련노동자 비중 높으면 자연실업률 낮아짐
: 나이든 노동자가 많으면 일자리 유지 경향이 크므로 마찰적 실업이 적어짐 → 자연실업률 낮아짐
• 기타 자연실업률에 영향을 주는 요인
: 노동조합, 임시고용기관, 기술변화 등의 환경적 요인
: 최저임금, 실업급여, 직업훈련정책, 고용보조금 등의 정책

실제실업률과 자연실업률

- 총생산 갭(GDP gap)
: 총생산의 실제 수준과 잠재생산량 간의 차이
: GDP 갭 = 실제GDP - 잠재GDP
: 잠재GDP, 완전고용GDP, 자연GDP, 자연산출량 등으로 불림
- 총생산 갭 = 0
: 실제총생산 = 잠재생산량 → 실제실업률 = 자연실업률
- 총생산 갭 = 양(+)
: 잠재생산량보다 많은 양을 생산(낮은 실업률, 호황기)
→ 실제실업률 < 자연실업률
- 총생산 갭 = 음(-)
: 잠재생산량보다 적은 양을 생산(높은 실업률, 불황기)
→ 실제실업률 > 자연실업률
- 자연실업률과 실제실업률의 차이 = 경기적 실업
: 경기침체나 후퇴기 → 노동수요곡선 왼쪽이동 → 실업증가
- 아서 오쿤(Arthur Okun, 오쿤의 법칙)
: 실업률과 총생산 사이에 음(-)의 관계 → 그러나 실업률 변동이 이에 상응하는 총생산 갭의 변화에 비해 작게 나타남
: 총생산이 1% 증가할 때 실업률은 1% 미만으로 감소
: 실업률과 총생산 갭의 변화가 일대일로 대응하지 않음
: 그 이유는 기업이 고용변화보다 노동시간 변화로 생산 변화를 조정하고 경기둔화 시 취업을 포기하는 상황의 발생으로 실업률 변동 작게 나타나기 때문

20강 | 문제풀이 연습

01 | 다음 중 자연실업률과 가장 밀접하게 관련 있는 것은?

① 경기적 실업 　　　　　② 비자발적 실업

③ 마찰적 실업 　　　　　④ 불완전 고용

02 | 다음 문장 가운데 괄호 안에 들어갈 말은?

> 자연실업(natural unemployment)이란 근로자들이 마음에 드는 일자리를 얻기 위해 옮겨 다니는 과정에서 발생하는 (　　　　) 실업과 구조적 실업만 있는 상태이다. 어떤 경제에 자연실업만 존재하고 있으면 실질적으로 (　　　)이 달성되었다고 보는 것이 일반적 관행이다.

① 경기적, 완전고용 　　　　② 경기적, 자연고용

③ 마찰적, 완전고용 　　　　④ 마찰적, 자연고용

03 | 정부의 경제안정화정책이 줄이려고 노력하는 실업은?

① 구조적 실업 　　　　　② 기술적 실업

③ 경기적 실업 　　　　　④ 마찰적 실업

○ 04 | 다음 중 실업률의 정의로서 옳은 것은?

① $\dfrac{실업자}{경제활동인구}$ ② $\dfrac{취업자}{경제활동인구}$

③ $\dfrac{취업자}{노동가능인구}$ ④ $\dfrac{경제활동인구}{노동가능인구}$

○ 05 | 다음 중 자연실업률에 가장 큰 영향을 미치는 것은?

① 경기변동 ② 실업보험제도
③ 기후변화 ④ 경제안정화정책

○ 06 | 실제총생산과 잠재총생산의 차이가 나타날 수 있다.
이 차이로 인한 실업률과 가장 관련된 실업은?

① 구조적 실업 ② 경기적 실업
③ 마찰적 실업 ④ 자연실업

○ 07 | 다음 중 자연실업률과 가장 관계가 없는 내용은?

① 마찰적 실업 ② 완전고용실업률
③ 경기적 실업 ④ 구조적 실업

08 | 전자업계에서는 노동력의 공급이 부족하지만 건설업계에서는 노동자들이 실업 상태에 빠져 있다. 이때의 실업은?

① 구조적 실업　　　　　② 경기적 실업
③ 기술적 실업　　　　　④ 마찰적 실업

09 | 실업과 관련한 다음 서술 중 가장 부적절한 것은?

① 구직단념자는 경제활동인구에 속하지만 조사대상기간 중 구직활동을 하지 않아 일할 의사가 없는 비경제활동인구로 분류되어 실업자에 누락된다. 따라서 실업률이 과소 측정된다.
② 자연실업률이란 마찰적 실업과 경기적 실업만 존재할 때의 실업률로 정상적인 상태에서도 발생할 수밖에 없는 실업률인 완전고용상태의 실업률을 의미한다.
③ 불완전고용자는 임시직 또는 시간제 근무를 하는 노동자로, 고용이 불안정하거나 사실상 실업상태이지만 취업자로 분류되어 실업자에서 누락된다. 따라서 실업률이 과소 측정된다.
④ 경제활동인구는 노동가능인구 중에서 일할 의사가 있고 여건이 되는 사람들로만 구성된다. 경제활동인구에 포함되지 않는 노동가능인구는 비경제활동인구로 분류된다.

10 | 다음 중 오쿤의 법칙(Okun's Law)과 가장 거리가 먼 내용은?

① 실업률과 총생산 사이에 양(+)의 관계가 있다.

② 상대적으로 총생산 갭보다 실업률의 변화가 작다.

③ 고용량보다 노동시간을 변화시켜 생산량을 변화시키는 경향이 있기 때문에 실업률과 총생산 갭의 변화가 일대일로 대응하지 않는다.

④ 경기둔화시 구직단념자가 증가하기 때문에 실업률 감소가 크지 않을 수 있다. 이에 따라 총생산 갭보다 실업률 변화가 작다.

11 | 생산가능인구(노동가능인구)의 변화가 없을 때, 실업에 관한 설명으로 옳지 않은 내용은?

① 구직단념자와 불완전고용자로 인해 실업률은 실제보다 실업의 정도를 과대평가할 수 있다.

② 실업자가 구직을 포기하면, 경제활동인구가 감소하고, 고용률의 변화는 없다.

③ 자연실업률은 마찰적 실업, 구조적 실업은 포함되지만 경기적 실업을 포함하지 않고 계산한다.

④ 실업자가 구직을 포기하면, 경제활동인구가 감소하고, 취업률은 증가, 실업률은 하락한다.

12 다음 중 취업자로 분류되지 않는 경우는?

① 자신의 사업체에 근무 및 보수를 받는 피고용인
② 가족사업체에서 보수를 받지 않고 근무하는 자
③ 일시적 병으로 인한 일시 휴직자
④ 한 달 이내에 취업할 것이 확실한 취업대기자

13 다음 중 실업의 형태와 그에 대한 정부의 대응으로 부적절하게 연결된 것은?

① 마찰적 실업 - 일자리 정보제공하는 고용센터 운영
② 구조적 실업 - 직업능력개발 프로그램(직업훈련) 실시
③ 경기적 실업 - 고용보조금 지급
④ 경기적 실업 - 공공근로사업 및 확대 재정정책 실시

14 자연실업률 변화에 대한 서술 중 옳지 않은 것은?

① 숙련노동자의 비중이 높아지면 자연실업률은 하락한다.
② 나이 든 노동자 비중이 높아지면 마찰적 실업이 증가하여 자연실업률이 상승한다.
③ 고용센터, 직업훈련제도, 고용보조금의 제도 등은 자연실업률의 변화를 야기한다.
④ 자연실업률은 정책, 제도, 경제구조의 변화 등에 영향을 받는다.

21강 화폐와 신용, 이자율

NOTE 화폐의 역사

- 상품화폐(commodity money)

: 조개, 돌, 소, 쌀, 소금, 베 → 금, 은의 금속화폐

- 은행권

: 17세기 영국

: 금세공업자가 금에 대한 보관증 발급 → 이 보관증을 화폐처럼 사용 → 금세공업자가 은행으로 발전

: 최종 대부자로 중앙은행 출현

- 법정화폐

: 금, 은의 물리적 상품에 의해 뒷받침되지 않음

: 화폐가 금처럼 가치를 지니고 있어서가 아니라 미래에 교환, 가치저장, 회계의 용도로 사용가능하다는 믿음 때문에 화폐를 보관함

: 중앙은행이 화폐발행 독점권 보유 → 국가가 뒷받침

KEY 01 화폐의 3대 기능

1. 화폐의 정의
① 경제학에서의 화폐
• 교환의 매개물 또는 거래의 지불수단

2. 화폐의 기능
① 교환의 매개수단(medium of exchange)
• 재화나 서비스의 교환
: 재화와 서비스의 대가로 화폐를 지불
• 물물교환경제의 '필요의 이중일치' 문제를 해결
: 교환을 위해 서로의 물건을 원하는 두 사람이 만나기까지에
는 많은 시간과 노력이 필요
• 화폐만이 가지고 있는 특징
② 가치저장의 수단(store of value)
• 한 시점에서 다른 시점까지 구매력을 보관
: 일정기간 가치 유지 → 구매력을 미래로 이전(구매력 보관)
• 화폐뿐만 아니라 모든 자산들이 갖는 특징
③ 가치척도의 기능(계산의 단위 기능, unit of account)
• 화폐 단위의 비교를 통한 상품의 가치 판단
: 각 상품의 가치가 화폐의 단위로 측정됨
: 가격표를 통해 싸고 비쌈을 판단
: 재화와 서비스의 상대가격을 보편적 방식으로 표현
• 화폐만이 가지고 있는 특징

금융, 금융자산, 금융거래

금융	• 경제주체 간에 자금을 빌려주고(대출) 빌리는 행위(차입) • 대부자(저축자)와 차입자(지출자) : 대부자는 여유자금을 빌려주는 경제주체로 소득보다 덜 지출하고 지출 초과 소득을 저축 : 차입자는 자금을 빌리는 경제주체로 소득보다 더 지출하고 차입을 통해 소득 초과 지출 • 금융시스템 : 대부자로부터 차입자에게로 자금을 이전시키는 역할을 담당
금융자산	• 자산의 매입자(보유자)가 발행자로부터 미래에 소득(원금, 이자 등)을 수취할 권리를 부여하는 증서(계약, 차용증서) • 금융자산(차용증서)은 이를 발행한(차입자) 경제주체에게는 부채, 매입한 사람(투자자)에게는 자산 • 금융자산의 종류에는 대출, 채권, 주식, 대출담보부증권, 은행예금 등이 있음(화폐 역시 금융자산 가운데 하나)
금융거래	• 금융거래가 이뤄질 때 반드시 자산과 부채가 동시에 발생함

KEY 02   화폐의 범주, 통화량

1. 본원통화(Monetary Base)
① 중앙은행이 직접 발행하여 공급한 화폐
- 현금통화와 지불준비금(지급준비금)으로 구분됨
- 현금통화(민간 보유 현금)
: 은행 이외의 민간이 보유하는 중앙은행권(동전, 지폐 등)
- 지불준비금(reserve)
: 은행이 보유하는 중앙은행권(시재금 + 중앙은행예치금)
: 시재금 - 은행이 보유하고 있는 현금(동전, 지폐)
: 중앙은행예치금 - 은행이 중앙은행에 개설한 예금계정에 예치해놓는 본원통화
- 본원통화 = 민간 보유 화폐 + 은행의 지급준비금

2. 통화량
① 한 경제에서 통용되는 화폐의 양
② 통화량 측정의 문제
- 유동성이 큰 자산, 즉 화폐에 포함시킬 자산의 범위를 정하는 문제

화폐의 양을 나타내는 여러 통화지표

현금통화	• 민간이 보유 중인 본원통화는 반드시 화폐에 포함됨 : 가장 유동적인 자산이기 때문 : 직접적으로 거래에 사용될 수 있음
협의의 통화(M1)	• 현금통화에 결제성예금을 추가 : 현금통화 + 결제성예금 : 결제성예금 = 요구불예금 + 수시입출금식예금
광의의 통화(M2)	• M1 + 준결제성예금(만기 2년 미만) : 정기예금, 수익증권, 금융채, 거주자 외화예금
총유동성 (M3, Lf)	• M2 + 2년 만기 이상의 금융상품 : 2년 만기 이상의 정기예금, 정기신탁, 보험사의 보험계약준비금

KEY 03 화폐의 수요(유동성 선호) 동기

1. 포트폴리오 투자

① 포트폴리오 투자의 의미

• 다양한 종류의 자산에 분산투자 하는 것

: 평균적 위험을 줄이고 투자수익을 높이기 위한 투자의 기법

: 고위험 고수익 자산과 저위험 저수익 자산을 동시에 보유

• 화폐는 금융자산 가운데 하나

: 화폐수요(유동성 선호)는 포트폴리오 투자 과정에서 결정됨

• 유동성(liquidity)과 화폐

: 어떤 경제적 대상이 재화 및 서비스를 구입하는데 사용될 수 있는 편리함의 정도

: 화폐는 일반적인 거래의 수단으로 사용되는 자산, 즉 유동성이 높은 자산

2. 화폐보유의 동기

① 거래적 동기(transactions motive)

• 일상적인 경제적 거래에 사용하는데 화폐가 필요

② 예비적 동기(precautionary motive)

• 예기치 못한 어려움에 대비하기 위해 화폐가 필요

③ 투기적 동기(speculative motive)

• 투자의 관점에서 화폐를 보유하는 것이 유리할 수 있음

: 수익성과 안정성 측면에서 화폐가 다른 자산보다 더 낮기 때문에 화폐를 보유

화폐수요함수와 화폐수요곡선

▪ 화폐수요함수

: 화폐수요량 = f(물가, 물가상승률, 이자율, 국민소득)

거래적 동기	• 물가(물가수준)와 정(+)의 관계 : 물가 상승 → 거래적 동기의 화폐수요량 증가 : 물가가 높을수록 경제적 거래의 액수가 증가하기 때문에 화폐수요가 증가 • 국민소득(실질총소득)과 정(+)의 관계 : 국민소득 증가는 거래적 동기의 화폐수요를 늘려 화폐수요량이 증가
예비적 동기	• 국민소득(실질총소득)의 증가함수 : 국민소득 증가는 예비적 동기의 화폐수요 늘림
투기적 동기	• 이자율과 부(-)의 관계 : 이자율 상승 → 현금보유의 기회비용 증가 → 다른 자산을 보유하는 것이 유리 → 투기적 동기에 따른 화폐수요량 감소 • 물가상승률(인플레이션율)과 부(-)의 관계 : 물가상승률이 높으면 화폐구매력이 하락하므로 화폐수요량은 감소(현금보유 기회비용 증가)

▪ 화폐수요곡선

: 이자율과 화폐수요량의 역(-)의 관계

: 우하향하는 곡선

$\left(\text{KEY}_{04}\right.$ 화폐공급과 화폐수요

1. 화폐공급
① 중앙은행이 화폐공급량을 결정
• 화폐공급곡선은 중앙은행이 결정한 화폐공급량 하에서 수직으로 그려짐
: 중앙은행이 이자율과 무관하게 본원통화 공급의 조정을 통해 화폐공급의 크기를 결정
: 화폐공급의 감소 → 화폐량 감소 + 이자율 상승
: 화폐공급의 증가 → 화폐량 증가 + 이자율 하락
※ 화폐수요곡선은 우하향
: 이자율이 높을수록(낮을수록) 화폐보유의 기회비용이 증가(감소)하기 때문에 화폐수요가 감소(증가)
: 유동성 선호 증가 → 화폐수요 증가 → 이자율 상승

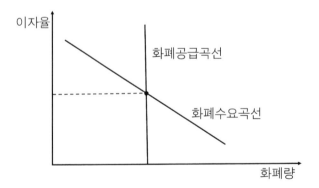

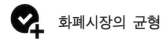 화폐시장의 균형

- 이자율(interest rate)의 의미
: 다른 사람의 화폐를 사용하기 위해 지불해야 할 가격
: 화폐의 가격
- 균형이자율
: 화폐수요과 화폐공급이 일치하는 수준에서의 이자율
- 시장이자율 > 균형이자율
: 사람들이 원하는 양보다 더 많은 화폐가 공급됨
→ 화폐의 초과공급 발생
→ 불필요한 화폐를 대부하려 함
→ 차입자의 협상력이 강해져서 이자율은 하락함
→ 균형을 회복함
- 시장이자율 < 균형이자율
: 화폐에 대한 초과수요 발생
→ 경제주체들이 추가로 화폐를 마련하기 위해 차입하려 함
→ 대부자의 협상력이 강해져서 이자율은 상승함
→ 균형을 회복함
- 화폐시장의 균형은 안정적
: 불균형이 발생하더라도 이자율 조정을 통해 균형을 회복함

$\mathbb{C}$ KEY $_{05}$ 중앙은행의 통화정책과 이자율

1. 통화정책(monetary policy)

① 통화정책의 의미

• 중앙은행이 화폐의 공급량을 조절하여 이자율을 변화시킴으로써 경제를 바람직한 방향으로 이끌어 나가려는 정책

② 확장적(팽창적) 통화정책

• 중앙은행이 화폐의 공급량을 늘림

→ 화폐공급곡선 우측 이동

→ 화폐의 초과공급 발생

→ 차입자의 협상력이 강해짐

→ 균형이자율 하락

③ 긴축적 통화정책

• 중앙은행이 화폐의 공급량을 줄임

→ 화폐공급곡선 좌측 이동

→ 화폐의 초과수요 발생

→ 대부자의 협상력 커짐

→ 균형이자율 상승

C KEY 06 신용창조와 통화승수

1. 화폐공급에서 중앙은행과 은행의 역할

① 중앙은행의 본원통화 공급(민간보유 현금 + 지불준비금)

• 은행은 대출을 통해 신용창조

: 중앙은행이 공급한 화폐의 양은 은행의 신용창조과정을 거쳐 화폐의 양은 통화승수의 크기만큼 더 증가함

• 지불준비금(법정지급준비금 + 초과지급준비금)

: 금융 당국은 예금자의 예금인출요구의 충족을 위해 일정 정도의(법정지불준비율) 유동자산을 은행이 보관하도록 강제함

: 은행이 보관중인 본원통화(화폐공급에 포함시키지 않음)

: 예금은 은행의 부채, 대출은 은행의 자산

: 지불준비금은 은행의 자산이면서 중앙은행의 부채

• 통화승수

: 중앙은행이 애당초 늘려 공급한 화폐의 양과 은행의 신용창조과정을 거쳐 궁극적으로 증가한 통화량 사이의 비율

$$: 통화승수 = \frac{통화량}{본원통화} = \frac{1}{법정지불준비율}$$

• 신용창조과정

: 대출의 연쇄일 뿐 순자산의 증가를 일으키지는 않음

: 경제의 부가 늘어나는 것은 아님

$\bigcirc$ KEY 07 화폐수량설

1. 화폐수량설(The Quantity Theory of Money)

① 화폐수량방정식

• 화폐량 × 화폐의 유통속도 = 물가 × 실질국내총생산

• M × V = P × Y

: M × V = 총생산이 거래되는데 사용될 수 있는 총통화량

: P × Y = 명목총생산

    = 총생산(Y)의 거래를 위해 필요한 총화폐액수

② 통화량과 화폐유통속도 사이의 관계

• 유통속도가 빨라질수록 거래에 필요한 통화량이 감소함

③ 통화량과 물가 사이의 관계

• 화폐의 유통속도와 실질국내총생산은 일정함을 가정

• 화폐공급이 증가할 때 물가이 이에 정비례하여 증가

: 통화량(화폐량)과 명목국내총생산은 정비례

• 화폐공급증가율 = 명목국내총생산증가율

• 화폐공급증가율 = 실질국내총생산증가율 + 물가상승률

: 인플레이션율 = 화폐공급증가율 - 실질국내총생산증가율

: 화폐공급이 증가하면 물가가 상승함

④ 화폐수량설의 주장(단기적으로 성립하지 않을 수 있음)

• 화폐유통속도와 실질총생산이 일정하다면 화폐공급이 변화할 때 물가가 이에 정비례하여 변화

• 화폐유통속도와 경제성장률이 일정하다면 화폐공급증가율의 변화는 인플레이션율을 동일한 폭만큼 변화시킴

KEY 08 인플레이션의 사회적 비용

1. 인플레이션(물가상승)의 사회적 비용
① 물가상승이 발생시키는 경제적 비효율성을 의미
② 매우 높은 수준의 인플레이션율이 지속되는 상황인 하이퍼인플레이션이 발생하면 사회적 비용의 크기가 매우 커짐

2. 인플레이션의 사회적 비용
① 저장비용의 발생
• 하이퍼인플레이션 → 화폐보유가 불리(실물보유가 유리, 예금 등 다른 금융자산으로 대체) + 화폐를 계속 사용해야 함 → 재화와 서비스의 저장비용 발생
• 구두창 비용(현금화비용)과 메뉴비용(가격변경비용)
② 상대가격 왜곡(상대가격 변동성 증가)
• 인플레이션이 발생 → 상품들의 상대가격이 변동 증가
→ 경제주체들의 효율적인 의사결정을 방해 → 자원배분의 왜곡을 초래
③ 화폐주조세(화폐발행에 따른 정부수입)
• 정부의 화폐발행 → 화폐공급 증가 → 물가 상승
• 인플레이션 조세
: 정부가 화폐발행을 통해 자금을 마련함으로써 발생하는 물가 상승을 일컬음
: 물가 상승으로 화폐보유자의 화폐가치를 감소시킴
• 정부는 화폐발행 이득(Seigniorage: 화폐주조차익)을 누림
• 화폐공급 증가 → 경기증진

QUIZ **34** 다음 중 유동성이 가장 큰 것은?

① 요구불예금   ② 골동품

③ 저축성 예금   ④ 부동산

QUIZ **35** 중앙은행이 화폐공급을 증가시킬 때 화폐시장에서 일어나는 변화가 아닌 것은?

① 화폐수요 곡선은 그대로 있다.

② 화폐공급 곡선은 왼쪽으로 이동한다.

③ 균형이자율이 하락한다.

④ 초기에는 화폐의 초과공급이 발생한다.

QUIZ **36** 다음 중 화폐수량설의 구성변수가 아닌 것은?

① 통화량   ② 화폐의 유통속도

③ 실업률   ④ 물가

QUIZ **37** 본원 통화가 400, 현금 통화 비율은 0, 은행의 지급 준비율이 0.2일 때, 통화승수와 통화량으로 옳은 것은?

① 통화승수 5, 통화량 2,000   ② 통화승수 20, 통화량 20

③ 통화승수 2, 통화량 2,000   ④ 통화승수 0.2, 통화량 80

01 다음 중 화폐의 기능이 아닌 것은?

① 가치의 저장수단   ② 가치척도의 기능

③ 교환의 매개수단   ④ 포트폴리오 기능

02 수익성이나 안정성의 측면에서 화폐가 다른 자산보다 더 낮기 때문에 보유하려는 것을 무엇이라 하는가?

① 거래적 동기   ② 투기적 동기

③ 예비적 동기   ④ 금융적 동기

03 다음 중 본원통화는 누가 공급하는가?

① 시중은행   ② 정부

③ 중앙은행   ④ 민간

04 정부가 화폐발행을 통해 자금을 마련할 때, 물가상승으로 인해 화폐가치가 감소하는 것과 가장 관련된 것은?

① 법정화폐   ② 인플레이션 조세

③ 통화승수   ④ 화폐수량설

05 | 다음 중 틀린 것은 무엇인가?

① 본원통화 = 민간 보유 화폐(현금통화) + 은행의 지급준비금
② 협의의 통화(M1) = 현금통화 + 결제성예금
③ 광의의 통화(M2) = M1 + 준결제성예금
④ 총유동성(M3) = M2 + 2년 만기 미만의 금융상품

06 | 국민소득(실질총소득)이 감소하면 화폐수요곡선은 어떻게 되는가? 그 결과 균형이자율은 어떻게 변화하는가?

① 화폐수요 곡선은 우측 이동, 균형 이자율은 상승
② 화폐수요 곡선은 우측 이동, 균형 이자율은 하락
③ 화폐수요 곡선은 좌측 이동, 균형 이자율은 상승
④ 화폐수요 곡선은 좌측 이동, 균형 이자율은 하락

07 | 다음 중 화폐수요의 결정요인들과 화폐수요의 관계를 틀리게 나타낸것은?

① 국민소득(실질총소득)과는 부(-)의 관계
② 이자율과는 부(-)의 관계
③ 물가상승률과는 부(-)의 관계
④ 물가수준과는 정(+)의 관계

08 김과장은 집에 두었던 현금 5백만원을 은행에 예치했다. 법정지급준비율이 20%라면 화폐공급량의 증가는?

① 2,000만원   ② 2,500만원

③ 1,500만원   ④ 1,200만원

09 다음은 화폐와 관련된 설명이다. 적절치 않은 것은?

① 소득이 증가하면 거래적 동기에 의한 화폐수요가 증가한다.

② 물가상승률이 높아지면 투기적 동기에 의한 화폐수요는 감소한다.

③ 화폐공급은 중앙은행의 정책적 결정에 의해 이루어지므로 화폐공급곡선은 우상향한다.

④ 단기적으로 화폐유통속도와 실질GDP가 일정하면 통화량증가율과 물가상승률은 일치한다.

10 다음 중 화폐보유동기가 아닌 것은?

① 상대적 동기   ② 거래적 동기

③ 예비적 동기   ④ 투기적 동기

○ 11 | 중앙은행이 화폐의 공급량을 늘리는 경우 발생하는 사항들과 가장 거리가 먼 것은?

① 화폐공급곡선 우측 이동　　② 화폐의 초과공급 발생

③ 차입자 협상력이 약해짐　　④ 균형이자율 하락

○ 12 | 화폐의 수요 변화에 대한 설명으로 가장 옳지 않은 것은?

① 이자율이 하락하면 화폐를 많이 보유하고자 한다.

② 소득이 감소하면 화폐수요가 감소한다.

③ 물가상승률이 높아질 것으로 예상되면 화폐를 적게 보유하고자 한다.

④ 물가가 높을수록 거래적 동기에 의해 화폐수요가 감소한다.

○ 13 | 다음 중 화폐의 기능에 대한 설명으로 잘못 짝지어진 것은?

① 가치척도의 기능 - 화폐는 재화와 서비스의 상대가격을 보편적인 방식으로 표시 및 화폐 단위의 비교를 통한 상품의 가치 판단

② 가치저장 수단 - 구매력을 미래로 이전이 가능

③ 교환의 매개수단 - 재화와 서비스에 대한 대가로 지불

④ 가치척도의 기능 - 한 시점에서 다른 시점까지 구매력 보관

14 | 실질국민소득이 1,500, 통화량이 750, 물가수준이 2일 때 통화의 유통속도는?

① 4
② 4.5
③ 5
④ 5.5

15 | 화폐의 수요와 공급에 대한 다음 서술 중 가장 부적절한 것은?

① 다른 모든 여건이 일정하게 고정되어 있는 경우 소득이 증가하면 이자율은 하락한다.
② 화폐수요곡선은 이자율과 화폐수요량 사이의 음(-)의 관계를 보여준다.
③ 화폐공급은 이자율과 관계없이 중앙은행의 정책적 결정에 의해 이루어지므로 화폐공급곡선은 수직선의 형태를 가진다.
④ 화폐수요는 주어진 이자율에서 보유(수요)하고자 하는 화폐의 양으로 자산의 보유형태인 포트폴리오 선택의 문제이다.

16 | 물가상승률이 높아졌다고 하자. 이 경우 화폐시장에 대한 설명 중 가장 옳지 않은 내용은?

① 투기적 동기의 화폐수요 감소
② 화폐수요곡선의 좌측 이동
③ 균형이자율 하락
④ 화폐공급곡선의 좌측 이동

⦿17 화폐수량설에 대한 다음 설명 중 옳지 않은 것은?

① 통화량, 화폐유통속도, 물가, 실질GDP와의 관계를 설명하는 이론이다.

② 통화량과 화폐유통속도의 곱으로 산출되는 총거래액은 물가와 실질GDP의 곱인 명목GDP와 항등적 관계가 있다.

③ 단기적으로 화폐의 유통속도증가율과 실질GDP증가율이 0이라면 통화량증가율은 물가상승률과 일치한다.

④ 화폐유통속도와 실질총생산이 일정하다면 화폐공급이 변화할 때 물가가 이에 반비례하여 변화한다.

⦿18 물가의 사회적 비용에 대한 서술 중 부적합한 것은?

① 인플레이션율이 높을수록 현금을 다른 금융자산으로 더 많이 대체하기 때문에 구두창 비용이 감소한다.

② 인플레이션율이 높을수록 가격이 더욱 빈번하게 변화해서 가격을 더 자주 조정해야하기 때문에 메뉴비용이 증가한다.

③ 인플레이션율이 높을수록 상대가격의 변동성이 증가하여 경제주체들의 효율적인 자원배분의 왜곡을 초래한다.

④ 매우 높은 수준의 인플레이션율이 지속되는 상황을 하이퍼인플레이션이라 한다.

22강 경기변동과 거시경제정책

NOTE 경기변동의 정의와 특징

- 경기변동((economic fluctuations, 경기순환)

: 실질 국내총생산 성장률의 단기적 변화

: 총생산이 잠재총생산(자연실업률인 상황에서의 총생산)의 증가 추세를 중심으로 변동하는 현상

: 경기확장(호황기) - 국내총생산이 양(+)의 성장률

: 경기하강(수축기) - 국내총생산이 음(-)의 성장률

- 경기변동의 특징

: 다양한 거시경제지표의 동조화(co-movement)

- 소비와 투자의 동조현상 → 같이 늘고 같이 감소

- 고용과 국내총생산, 소비, 투자는 같이 움직임

- 실업은 국내총생산과 반대로 움직임

- 수축기에는 소비·투자·국내총생산·고용 감소, 실업 증가

: 제한된 예측가능성(limited predictability)

- 제한된 범위 내에서 예측가능(예측의 어려움)

- 경기침체의 시작과 종료시점에 대한 예측은 불가능함

: 경제성장률 방향(확장 및 수축)의 지속성(persistence)

- 어떤 분기의 경제가 팽창/위축 중이면 그 다음 분기도 경제는 팽창/위축할 것이라 예측하는 것이 합리적임

C KEY 01 경기변동의 원인

1. 노동수요 측면의 경기변동 원인
① 노동총수요의 예상치 못한 변화
• 생산물가격 하락, 생산물수요 하락, 노동생산성의 하락, 투입요소가격의 상승 → 노동총수요 감소
→ 고용감소와 임금하락
→ 국내총생산 하락(임금이 하방경직적이면 더 크게 하락)
• 실질GDP의 감소폭은 임금이 하방경직적일 때보다 신축적일 때 작음

2. 실물경기순환이론(real business cycle theory)
① 실물경기변동론(기술충격 강조)
• 공급충격이 경기변동의 주요 원인이라고 간주하는 이론
• 생산성과 기술의 변화를 강조
: 기술진보와 생산성의 변화, 생산요소가격(특히 유가)의 변화가 경기변동의 주원인이라고 주장
• 기술진보 → 노동의 한계생산가치 커짐 → 노동수요 증가
→ 총생산 증가 → 경기호황 유발
• 기술진보 → 기업의 투자지출 증가 → 총생산 증가
• 생산요소가격 상승(유가 상승) → 생산비용 상승
→ 총생산 감소

3. 야성적 충동과 승수효과 측면의 경기변동 원인

① 케인즈 이론(Keynesian theory)

• 총수요를 변화시키는 주원인으로 가계와 기업의 심리적 요인을 강조하고 승수효과를 중시함

: 미래에 대한 기대 변화를 강조

• 야성적 충동(animal spirits)

: 미래에의 기대, 불확실성으로 소비 및 투자의 의사결정에 영향을 주는 심리적 장치(요소)를 의미

• 야성적 충동과 경기변동

: 경제에 대한 부정적 심리와 전망 → 소비와 투자지출 감소 → 총생산 위축

• 야성적 충동에 의한 경기변동은 어떤 기대가 현재에 실현되어버리는 현상인 자기실현적 예언의 특징을 지님

4. 금융 및 통화이론 측면의 경기변동 원인

① 경기변동의 주원인은 화폐적 요인과 금융시장의 혼란(붕괴)

• 통화공급의 변동과 경기변동

: 화폐공급 감소 → 화폐수량설에 의해 물가 하락

→ 노동의 한계생산가치 하락 → 노동수요곡선 왼쪽이동 → 고용 감소 → 총생산 감소

: 화폐공급 감소 → 이자율 상승 → 기업의 투자비용 상승

→ 투자지출감소 → 노동수요 감소 → 생산감소

• 금융시장의 혼란과 경기변동

: 금융시장 혼란 → 경기전망 악화 → 이자율 상승 → 투자위축

단기적 총생산과 총수요

▪ 거시경제에서 단기적으로 총수요에 맞춰 총생산이 조정됨
: 단기적으로 기업의 생산 결정에 가장 큰 영향을 미치는 것은
수요의 크기 → 단기적으로 기업은 수요에 맞춰서 생산을 조정

소비지출	• 가처분소득 증가 → 소비지출 증가 : 가처분소득 = 총소득 - 조세 + 정부이전지출 • 이자율 상승 → 저축 증가 → 소비지출 감소 • 낙관적 경기전망 → 소득증가 예상 → 소비지출 증가 • 재산(부)의 가치가 클수록 소비지출 증가 ※ 재산효과(wealth effect) : 자산가격(주식, 부동산)이 상승(하락)하여 부가 증가(감소)하면 소비지출이 증가(감소)하는 현상
투자지출	• 이자율 상승 → 투자지출 감소 : 이자율이 높을수록 이자비용이 증가하여 투자지출 감소 : 실질이자율이 높을수록 저축의 수익률이 높음 → 저축을 투자지출의 자금으로 덜 사용함 • 기업의 경기전망
정부지출	• 생산된 최종재에 대한 지출 : 재정지출은 정부가 쓴돈 전체를 의미 : 이전지출은 재정지출이나 정부지출은 아님
순수출	• 국민소득(국내와 해외), 환율, 물가수준

KEY 02 경기변동과정과 승수효과

1. 경기위축 시 발생하는 승수효과
① 승수효과(乘數效果, multiplier effect)
• 초기 충격이 이어지는 효과로 인해 증폭되어 경제에 더 크게 영향을 미침(초기 효과가 배가되는 부정적·긍정적 충격)
: 경기침체 및 경기호황기에도 작용
② 과정분석
• 가계의 소비감소 → 기업의 수입감소 → 노동수요 감소
→ 노동수요곡선 왼쪽 이동 → 고용감소(해고와 실업률 상승)
→ 가계소득 감소 → 소비감소 → 승수효과를 통해 증폭
→ 경기침체
• 임금의 하방경직성이 존재할 때 경기침체, 즉 고용 및 총생산의 감소가 더욱 큼

2. 시장의 힘에 의한 경기침체의 3가지 회복 경로
① 초과재고가 소진되면 노동수요가 늘어남
• 경기호황기 초과 주택 건설 → 신규주택 건설 중단(노동수요 증가 멈춤) → 주택재고 모두 판매 후 고용을 늘려 다시 주택 건설
② 기술진보를 통한 노동수요 증가
• 기술혁신 → 시장점유율 증가 → 노동수요 증가
③ 금융시장에서 기업에 대한 신용 제공
• 기업에 대한 대출 증가 → 사업확장 → 고용 증가

3. 정부의 경기조절정책(총수요관리정책)에 의한 경기회복

① 확대 재정정책

• 정부의 재정지출 증가 → 상품수요 증가 → 생산 증가
→ 노동수요 증가

• 세금 인하 → 세후소득 증가 → 소비와 투자 증가 → 상품수요 증가 → 생산 증가 → 노동수요 증가

② 확대 통화정책

• 중앙은행의 통화공급 증가 → 물가상승 → 생산물가격 상승으로 인해 고용증가

• 중앙은행의 이자율 인하 → 투자와 소비 촉진

※ 물가변화와 노동수요 및 노동공급 변화

: 물가상승 → 기업의 노동수요 증가 + 가계의 노동공급 감소

: 물가상승 → 노동의 한계생산가치 증가 → 노동수요 증가

: 물가상승 → 실질임금(실질구매력) 하락 → 노동공급 감소

QUIZ **38** 경기변동에 관한 다음 설명 중 가장 적합하지 않은 내용은?

① 노동공급의 변화와 관련이 높다.

② 노동수요의 변화와 관련이 높다.

③ 생산물가격 상승은 경기가 좋아지는 방향으로 영향을 미친다.

④ 임금이 경직적일 때 보다 신축적일 때 경기변동의 정도가 작다.

KEY 03 경기조절정책

1. 경기조절정책(경기안정화정책, 총수요관리정책)

① 재정정책(정부, 기획재정부)

• 의회 승인을 거쳐 정부지출과 세금수입을 변화시키는 정책

: 정부구매, 조세, 정부이전지출의 변화를 통해 총수요에 영향

: 확장적 재정정책(총수요 증가시키는 재정정책)

- 경기침체기에 정부지출 증가, 세금 감소, 정부이전지출 증가

: 긴축적 재정정책(총수요 감소시키는 재정정책)

- 경기호황기에 정부지출 감소, 세금 증가, 정부이전지출 감소

② 통화정책(중앙은행, 한국은행)

• 은행의 대출준비금과 이자율을 수단으로 하는 정책

: 본원통화 및 화폐공급, 이자율의 조정을 통해 총수요에 영향

: 확장적 통화정책

- 경기침체기에 은행의 대출준비금 증가, 이자율 하락

: 긴축적 통화정책

- 경기호황기에 대출준비금 감소, 이자율 상승

QUIZ **39** 다음 중 경기안정화정책과 관련 없는 것은?

① 총공급관리정책　　　② 재정정책

③ 총수요관리정책　　　④ 통화정책

KEY 04 재정정책 효과의 달성 경로

1. 재정정책 경로 구분

① 정부의 조세정책 변화 및 이전지출

• 정부의 이전지출 → 가계 소비지출에 영향

• 조세정책 → 기업 투자지출에 영향

② 정부가 직접 정부지출(정부구매) 변화

• 직접적인 재화와 서비스 구매 → 기업의 생산 증가

→ 노동수요 증가 → 임금 인상 → 가계 소비 증가

• 양(+)과 음(-)의 승수효과로 정책효과 증폭 됨

③ 경기변동에 따른 자동안정장치(소득세, 실업급여)

• 호황기

: 생산과 고용 증가로 자동적으로 조세수입 증가

→ 가처분소득 감소 → 소비 감소 → 경기과열 막음

• 불황기

: 고용감소에 대응해 실업급여 지금 → 가처분소득 안정

※ 세금인하가 소비증가로 이어지지 않는 이유

: 한계효용체감 → 세금인하로 늘어난 소득을 지금 소비하지

않고 장기에 걸쳐 분산

: 현재의 세금 인하는 미래의 세금 인상으로 돌아올 것으로

예상 → 현재소비 늘리지 않음

KEY 05 통화정책 효과의 달성 경로

1. 통화정책 효과 경로

① 단기이자율 변동과 장기이자율

• 단기이자율 하락 → 장기기대이자율 하락

→ 소비와 투자 증가 → 노동수요 증가

② 필수지불준비율(법정지불준비율) 정책

• 법정지불준비율 하락 → 은행의 지준감 감소

→ 은행의 대출준비금 공급 증가 → 이자율 하락

→ 투자지출 증가

③ 공개시장조작

• 중앙은행이 은행에 국채를 매도(매각)

: 매각의 대가로 은행들로부터 지준금을 지급받음

→ 지준금의 공급 감소

→ 지준금 차입이 대부보다 커짐(지준금 초과수요)

→ 대부하려는 은행의 협상력 증가

→ 지준금리 상승 → 이자율 상승 → 투자 감소

• 중앙은행이 은행들로부터 국채 매입

: 매입의 대가로 은행들에게 지준금을 지급

→ 은행으로 지준금 공급 증가

→ 지준금 대부가 차입보다 커짐(지준금의 초과공급)

→ 차입하려는 은행의 협상력 증가

→ 지준금리 하락 → 이자율 하락 → 투자 증가

확장적 경기조절정책의 효과

- 임금이 신축적인 경우
: 노동수요 감소 완화 → 균형임금과 균형고용량은 높음
- 임금이 경직적인 경우
: 균형고용량 증가 → 그러나 균형임금수준은 동일
※ 통화정책의 성공여부
- 단기이자율 변동이 장기이자율 변동에 영향을 주어야 함
: 장기실질기대이자율
= 장기명목이자율 - 장기기대물가상승률
: 장기명목이자율 하락 또는 장기기대물가상승률 상승
→ 장기실질기대이자율 하락

QUIZ **40** 정부지출과 조세를 조절함으로써 경기를 안정시키려는 총수요관리정책과 관련된 것은?
① 금융정책　　　　② 경기정책
③ 재정정책　　　　④ 실업정책

QUIZ **41** 다음 중 경기가 나쁠 때 사용하는 총수요관리정책이 아닌 것은?
① 국채 매입　　　　② 정부지출 확대
③ 조세 인하　　　　④ 기준금리 인상

KEY 06 재정정책과 통화정책의 한계

1. 재정정책의 한계
① 정책결정자 의도에 따라 집행되는 재량적 정책의 문제
• 경기변동과 무관한 정책 → 비효율적 지출과 낭비
② 법안통과, 환경영향평가, 청문회 등의 절차를 거쳐야 함
• 시간이 많이 소요 → 제때에 재정지출이 이루어지지 못하는 시차문제 발생
③ 밀어내기(구축효과, crowding out) 문제
• 구축효과란 정부의 확장적 재정정책이 이자율을 상승시켜서 민간의 지출(소비지출과 투자지출)을 감소시키는 현상
: 국채발행 → 민간저축 감소 → 이자율 상승
→ 민간투자 감소 → 고용증가 효과 약화
: 음(-)의 승수효과로 확장적 재정정책 효과 감소

2. 통화정책의 한계
① 통화량 증가로 인한 물가상승 문제
: 경기침체 완화 위한 확장적 통화정책 → 화폐공급 증가
→ 물가상승 → 인플레이션의 사회적 비용을 증가
: 경기침체 완화와 인플레이션 방지 사이에 상충관계가 존재

② 테일러 준칙(Taylor's rule)
- 경기활성화와 물가상승의 상충관계 해결 위해 활용
: 이자율 수준을 인플레이션율에 맞춰 조정하는 것이 경제안정에 가장 중요함
: 실제인플레이션율과 실제경제성장률이 각각 인플레이션 목표치와 잠재성장률을 벗어날 경우 중앙은행이 정책금리를 변경한다는 이론
: 인플레이션과 경기변동 둘 다를 고려하여 지준금리를 결정
- 적정 이자율 수준 판단
: 중앙은행의 지준금리 결정 원칙을 식으로 보여줌
: 지준금리 = 목표 지준금리 + 1.5 × (실제인플레이션율 - 목표인플레이션율) + 0.5 × 산출갭
- 실제인플레이션율이 목표치보다 높을수록 지준금리를 높여서, 즉 통화공급을 감소시켜서 인플레이션율을 낮추고자 함
: 물가상승 감지 → 단기이자율 상승시킴 → 경기억제
- 실제총생산(실제성장률)이 잠재총생산(잠재성장률)보다 높으면 지준금리를 인상하여 과열된 경기를 완화시키고자 함
: 경기호황으로 생산 갭이 양(+), 현재국내총생산이 잠재국내총생산보다 크면 → 단기이자율 상승시킴 → 경기억제

22강 문제풀이 연습

○ 01 다음 중 경기변동의 특징이 아닌 것은?

① 안정성　　　　　　② 제한된 예측가능성

③ 지속성　　　　　　④ 동조화 현상

○ 02 다음 중 경제안정화정책과 관련이 적은 것은?

① 총수요관리정책　　② 재정정책

③ 최저임금정책　　　④ 금융정책

○ 03 노동수요곡선을 우측으로 이동시켜 경기확장을 야기하는 내용 중 틀린 것은?

① 물가상승에 따른 노동의 한계생산가치 증가

② 총수요의 증가에 따른 노동의 한계생산가치 증가

③ 다른 생산요소의 가격상승으로 해당 생산요소의 투입이 감소함에 따라 노동의 한계생산물 증가

④ 기술수준(생산성) 향상에 의한 노동의 한계생산물 증가

04 | 다음 중 경기가 과열되었을 때 쓰는 총수요관리정책으로 적절하지 않은 내용은?

① 국채 매각　　　　　② 정부지출 확대
③ 세율 인상　　　　　④ 기준금리 인상

05 | 경기변동이론에 대한 설명 중 가장 옳은 것은?

① 통화공급의 감소는 물가를 상승시키고 이자율을 하락시킴으로써 총생산을 증가시킨다.
② 야성적 충동에 따른 경기변동은 자기실현적 예언의 특징을 갖고 있다.
③ 실물경기변동이론은 수요충격을 경기변동의 주요 원인으로 설명한다.
④ 금융시장의 혼란은 투자와 소비를 증가시킴으로써 총생산이 증가한다.

06 | 경기안정화정책 수단으로 거리가 먼 것은?

① 조세　　　　　② 정부지출
③ 통화량　　　　④ 최저임금제

07 | 경기변동에 대한 다음 서술 중 가장 옳지 않은 것은?

① 경기확장기에는 소비지출이나 투자지출 등은 추세보다 빠르게 증가하고 실업률은 감소한다.

② 경기변동의 진폭과 주기가 일정하지 않기 때문에 경기침체의 종료시점이나 경기침체의 시작시점을 예측하기 쉽지 않다.

③ 현재가 경기확장기이면 대체적으로 다음 분기에도 확장이 지속될 가능성이, 현재가 수축기이면 다음 분기에도 수축이 지속될 가능성이 높다.

④ 호황기에는 앞으로도 호황이, 불황기에는 앞으로도 불황이 지속될 것이라고 예측하는 것은 비합리적이다.

08 | 다음은 경기조절정책에 관한 설명이다. 적절치 않은 것은?

① 총수요관리정책을 통해 경기변동의 진폭을 완화시키고자 하는 정책이다.

② 정책수단인 재정정책과 통화정책은 정부에 의해 수행된다.

③ 경기침체 시 통화정책으로는 통화량 확대나 금리의 인하가 있다.

④ 경기과열 시 재정정책으로는 정부지출의 축소나 세율의 인상이 있다.

09 | 경기대책에 대한 다음 설명 중 적절치 않은 것은?

① 마찰적 실업은 경기변동으로 인해 발생한다.
② 경기가 불황일 때는 확대재정정책을 써야 한다.
③ 계절적 실업은 경기와 무관하게 발생한다.
④ 실업률이 높을 때에는 총수요확대정책을 쓴다.

10 | 재정정책이 경기를 조절하는 경로 중 잘못된 것은?

① 정부구매 증가 → 양의 승수효과 → 총생산 및 고용 증가
② 정부이전지출 증가 → 가처분소득 증가 → 소비지출 증가 → 양의 승수효과 → 총생산 및 고용 증가
③ 정부구매의 감소 → 양의 승수효과 → 총생산 및 고용 증가
④ 조세증가 → 기업의 세후이윤 감소 → 투자지출 감소 → 음의 승수효과 → 총생산 감소

11 | 다음은 경기안정화정책에 대한 설명이다. 가장 적절하지 않은 것은?

① 통화정책은 한국은행이 수행한다.
② 재정정책은 국회의 동의가 필요하다.
③ 경기변동 정도를 완화시키고자 하는 총공급관리정책이다.
④ 경기침체 시 확대재정정책이 하나의 대안이 될 수 있다.

◐12 │ 시장의 힘을 통한 경기회복 과정에 대한 설명으로 가장 거리가 먼 것은?

① 경기침체로 발생한 초과재고가 소진되면, 기업이 생산을 다시 증가시키고, 이로 인해 고용 및 총생산이 증가한다.

② 기술진보로 노동의 한계생산가치가 높아지면 노동수요가 증가하고, 이로 인해 고용 및 총생산이 증가한다.

③ 정부의 직접적 지출 증가는 고용 및 총생산을 증가시킨다.

④ 은행의 신용공급이 증가하면 기업의 투자지출이 증가하고, 이로 인해 고용 및 총생산이 증가한다.

◐13 │ 경기변동에 대한 다음 서술 중 옳지 않은 내용?

① 경기변동은 단기적으로 총생산이 잠재총생산의 증가 추세를 중심으로 변동하는 것을 의미한다.

② 경기 위축 시, 가계의 소비가 감소한다.

③ 경기변동의 특징으로 다양한 거시경제 지표의 동조성, 예측의 정확성, 확장 및 수축의 지속성 등이 있다.

④ 경기 확장 시, 노동수요가 증가한다.

14 | 다음 중 통화정책의 결과에 대해 잘못 설명한 것은?

① 중앙은행의 국채 매도에 따른 이자율 상승
② 중앙은행의 국채 매입에 따른 이자율 하락
③ 법정지불준비율 인하에 따른 이자율 상승
④ 확장적 통화정책에 따른 인플레이션 발생

15 | 테일러 준칙에 대해 옳지 않은 설명은?

① 확장적 통화정책으로 화폐공급이 증가하면 인플레이션을 유발할 수 있다.
② 중앙은행은 테일러 준칙에 따라 경기변동과 인플레이션을 모두 고려하여 지준금리를 결정한다.
③ 인플레이션율이 높을 때, 지준금리를 높이면 통화공급이 감소하므로 인플레이션을 낮출 수 있다.
④ 총생산이 감소하면, 지준금리를 인상하여 경기침체를 완화할 수 있다.

○16 경기조절정책에 대한 설명 중 옳지 않은 것은?

① 확장적 금융정책에는 은행의 대출준비금 증가와 이자율 하락이 포함된다.
② 경기 위축 시에는 확장적 재정정책을 실시해야 한다.
③ 경기 확장(과열) 시에는 긴축적 금융정책을 실시해야 한다.
④ 확장적 재정정책에는 정부지출의 감소와 세금수입의 증가가 포함된다.

○17 경기가 침체상태에 있을 경우에 실시하는 경기조절정책 내용으로 부적당한 것은?

① 세금인하 정책 실시
② 중앙은행의 국채 매입 실시
③ 정부지출 증가 정책 실시
④ 중앙은행의 법정지급준비율 인상 단행

○18 경기변동의 다양한 원인 중 기술충격을 강조하는 경기변동이론과 가장 관련된 것은?

① 실물경기변동론   ② 통화공급 감소
③ 야성적 충동   ④ 자기실현적 예언

23강 국제무역

KEY 01 무역이론

1. 무역이론의 흐름

① 리카르도의 비교우위이론

• 기회비용이 더 낮은 재화가 비교우위에 있고 이를 전문화 (특화)해 생산 후 수출하면 교역 상대국 모두에게 이익

• 비교우위를 가져오는 원인

: 기후, 생산요소부존, 기술

② 헥셔-올린(Heckscher-Ohlin)의 요소부존이론

• 비교우위의 국가 간 차이는 요소 부존의 차이에서 비롯됨

: 노동 풍부국은 노동집약적 상품 생산에 비교우위가 있어 이를 수출하고 자본집약적 상품을 수입

: 자본 풍부국은 자본집약적 상품 생산에 비교우위가 있어 이를 수출하고 노동집약적 상품을 수입

③ 레온티에프의 역설

• 요소부존이론이 맞는가를 레온티에프가 미국의 투입산출표를 이용해 확인

• 자본이 풍부한 미국은 자본집약적 상품을 수입하고 노동집약적 상품을 수출함 → 헥셔-올린 이론과 상충하는 결과

④ 버논의 제품생애주기 이론

• 레온티에프의 역설을 설명하기 위해 제시 됨

• 제품의 최초개발국가의 독점생산단계(선진국에서 후진국으로 수출) → 생산기술 확산에 따른 경쟁국가 참여로 대량생산단계로 이어짐(생산비용이 낮은 후진국에서 선진국으로 수출)

• 1947년의 미국은 독점생산 단계

: 숙련되고 기술수준 높은 노동자 필요

→ 노동집약적 상품 수출

: 대량생산단계의 자본집약적 상품을 수입

⑤ 유사한 산업 내 무역

• 선진국 간의 무역과 동일 산업제품 간의 무역 이유

: 상품차별화 때문

: 한국이 일본의 전자부품을 수입하고 완제품을 수출

QUIZ **42** 다음 중 비교우위를 가져오는 원인이 아닌 것은?

① 기후의 차이　　　　　② 기회의 차이
③ 기술의 차이　　　　　④ 생산요소부존의 차이

QUIZ **43** 다음 중 산업 내 무역이 나타나는 이유는?

① 절대우위　　　　　　② 상품차별화
③ 수입할당　　　　　　④ 유치산업 보호

(KEY 02 자유무역의 효과

수입의 영향	• 국제가격 < 국내가격 → 수입 발생 : 수입 → 국내공급량 증가 → 국내가격 하락 → 국내 소비자 잉여 증가 → 국내 생산자 잉여 감소 : 늘어난 소비자 잉여 > 줄어든 생산자 잉여 → 사회 전체의 총잉여(사회적 잉여)는 증가
수출의 영향	• 국제가격 > 국내가격 → 수출 발생 : 수출 → 국내공급량 감소 → 국내가격 상승 → 국내 소비자 잉여 감소 → 국내 생산자 잉여 증가 : 줄어든 소비자 잉여 < 늘어난 생산자 잉여 → 사회 전체의 총잉여는 증가
결론	• 수출은 소비자 이득 감소 • 수입은 생산자 이득 감소 • 자유무역을 통해 사회전체가 이득을 봄

보호무역을 하는 다양한 이유

▪ 자국의 산업 보호

: 수입 → 생산 중단 → 실업 발생

: 산업 간 노동이 이동 쉽지 않으므로 비효율적이지만 생산성이 낮은 부분의 실업 방지 목적으로 보호무역 실시

▪ 기술진보로 소수의 주력상품 수출 감소

▪ 소수의 상품생산 특화로 인해 국민경제 전체에 어려움 야기

: 전쟁으로 무역거래 중단되는 경우 필요한 제품 수입 불가능

▪ 유치산업 보호

: 발전 초기 단계의 산업을 보호

▪ 외국의 무역정책에 대한 대응(보복)으로 보호무역정책 사용

: 상호수입억제정책(무역전쟁)

▪ 자유무역으로 손해를 보는 일부 집단을 보호

QUIZ **44** 자유무역이 진행되었을 때 나타나는 현상으로 거리가 먼 것은?

① 수입이 발생하였다면 국제가격이 국내가격보다 낮은 경우이다.

② 수출의 경우 소비자 잉여는 감소한다.

③ 수입의 경우 생산자 잉여는 증가한다.

④ 수출, 수입 모두 총잉여는 증가한다.

KEY 03 보호무역 정책 수단

1. 보호무역 정책의 다양한 수단

① 관세 장벽

• 관세

: 수입 재화와 서비스에 부과되는 세금

: 관세부과 → 수입품 국내가격 상승 → 수입품 수요량 감소 → 국내기업 가격경쟁력 상승 → 국내상품의 생산 증가

: 정부의 관세수입 획득 → 그러나 사회적 총잉여는 감소

: 관세의 부과로 가격이 상승하고 거래량이 줄어들기 때문에 비효율성이 발생

② 비관세 장벽

• 정부의 보조금 지급

: 정부의 수출보조금 지급이나 조세감면 실시 → 수출기업의 낮은 수출가격

: 유럽과 미국의 농업보조금 → 낮은 국내시장 가격 유지

• 수입할당제

: 수입량을 법으로 정하여 수입을 억제(공급감소 효과 유발)

: 경제주체는 수입허가를 얻기 위해 지대추구행위를 함

: 수입업자는 제한된 수입량으로 인해 국제가격보다 가격을 더 높게 책정하여 이득을 누리게 됨 → 수입업자 독점력에 기반을 두고 지대를 획득

: 수입할당 시행으로 가격이 상승하고 거래량이 줄어들기 때문에 비효율성이 발생

2차 세계대전 이후의 자유무역

▪ 1871년 독일 통일 이전
: 관세동맹 → 참가국 사이 관세를 없애고 수입품에 동일관세 부과 → 시장 통일
▪ 1차, 2차 세계대전 → 국가 간 경제적 통합과 정치적 협력이 평화유지에 중요함을 인식
: 대공황 이후 → 1930년 고립주의 경제정책
→ 세계경제 침체와 긴장관계 조성
▪ 자유무역시장 형성 노력
: GATT(General Agreement on Tariffs and Trade)체제
- 비차별적 정책 기초
- 평균 이상의 관세를 부과받지 않아야 한다는 조건 존재
- 농산물 자유무역 제외, 저개발국가 보호관세 인정, 선진국의 무역장벽 완화 조항
- 라운드라고 불리우는 다자간 협상으로 해결
- 우루과이 라운드 → 농산물 예외조항, 저개발국 우대정책 등 완화 + 서비스에 대한 자유무역 허용
: WTO(World Trade Organization)체제
- 다자간 무역협상의 장 마련(통상분쟁 해결의 제도적 장치)
- 선진국과 저개발국가의 입장 차이에 직면
- 선진국의 농업보조금 지급 문제가 중요한 쟁점이 되어 큰 진척을 못 봄
- 국가 간 자유무역협정(FTA)이 체결이 더 활발히 진행 중

01 경제주체가 수입허가를 얻기 위해 지대추구를 하는 것과 가장 관련이 깊은 보호무역정책은?

① 관세부과
② 보조금 지급
③ 수출자율규제
④ 수입할당제

02 헥셔-올린 이론에 따를 때, 상대적으로 노동이 풍부한 국가의 경제적 의사결정으로 옳은 것은?

① 노동집약적 상품을 수출, 자본집약적 상품을 수입
② 자본집약적 상품을 수출, 노동집약적 상품을 수입
③ 노동집약적 상품을 수입, 자본집약적 상품을 수입
④ 자본집약적 상품을 수출, 노동지약적 상품을 수출

03 다음 중 자유무역을 위한 노력과 가장 거리가 먼 것은?

① 우루과이 라운드
② GATT
③ 수입쿼터제와 관세
④ WTO, FTA

04 | 사회적 후생을 증가시키는 자유무역을 제한하는 보호무역 조치를 취하는 이유와 거리가 먼 것은?

① 발전의 초기 단계에서 자국 기업을 국제경쟁으로부터 보호하여 생존할 수 있게 하기 위하여

② 국가적으로 반드시 보호해야 하는 산업이 존재가기 때문에

③ 외국의 보호무역 조치에 대한 보복 및 자유무역으로 손해를 보는 일부 집단을 보호하기 위하여

④ 수출의 경우 국내생산을 위축시켜서 실업의 증가를 야기할 수 있기 때문에

05 | 다음은 헥셔─올린의 정리와 관계되는 표현이다. 가장 적합한 것은?

① 자본이 풍부한 나라에서는 자본집약적 제품을 수출한다.

② 자본이 풍부한 나라에서는 노동집약적 제품을 수출한다.

③ 노동생산성이 상대적으로 높은 제품을 수출한다.

④ 생산비가 절대적으로 저렴한 상품을 생산하여 수출한다.

06 | 다음의 보호무역과 자유무역에 대한 서술 중 가장 옳지 않은 것은?

① 보호무역을 시행하는 경우 소비자잉여가 줄어들고 사회적 총잉여는 증가한다.

② GATT는 대공황 이후 1930년대의 고립주의 경제정책으로 세계경기침체와 긴장관계가 조성된 분위기를 탈피하고자 1947년 전세계적 관세인하를 통해 자유무역체제를 추구하고자 체결된 '관세 및 무역에 관한 일반협정'으로 WTO가 탄생하기 전 세계무역질서의 기본이 되어 왔다

③ WTO는 자유무역을 위한 그간의 GATT체제의 한계에 직면하여 1986년부터 진행되어 온 우루과이 협상의 결과 보호무역주의 및 지역주의에 대처하고, 국제무역을 확대하고자 1995년 탄생한 국제기구이다. GATT와 달리 사법적 권한을 보유함으로써 협상의 결과를 이행하기 위한 제도적 장치를 마련하였다.

④ FTA(Free Trade Agreement)는 다자주의 원칙인 WTO와 달리 특정 국가간, 혹은 지역 내에서 상호 무역증진을 위해 이루어지는 양자주의 및 지역주의 자유무역협정이다.

07 | 관세부과의 일반적 결과와 가장 거리가 먼 것은?

① 수요량 감소　　　② 국내 생산 감소
③ 총잉여 감소　　　④ 가격 상승

08 | 자유무역의 결과로 틀린 설명은?

① 국제가격보다 국내가격이 낮으면 수출국이 된다.

② 국제가격보다 국내가격이 높으면 수입국이 된다.

③ 수출국이 되면 소비자 잉여가 증가한다.

④ 수출국이 되면 소비자 잉여와 생산자 잉여의 합이 증가한다.

09 | 레온티에프(Leontief)의 역설이란?

① 자본풍부국인 미국이 노동집약적인 재화를 수출한다.

② 유치산업보호정책이 단기적으로 사회후생을 감소시킨다.

③ 무역을 통해 생산에 완전특화나 부분특화가 나타난다.

④ 무역자유화로 관세를 인하하면 효율성이 증가한다.

10 | 자유무역을 하는 소국이 수입관세(종량세)를 부과할 때 나타나는 일반적 현상과 가장 거리가 먼 것은?

① 부과된 관세만큼 국내 판매가격이 상승한다.

② 국내 생산이 증가한다.

③ 국내 소비자 잉여가 증가한다.

④ 후생 손실이 발생한다.

24강 환율과 거시경제정책

NOTE 환율의 이해

▪ 환율
: 국가 간 화폐가 거래되는 외환(외국의 화폐)시장에서 거래되는 화폐의 가격(두 나라 통화의 교환비율)
▪ 미국식 환율 표시 방식(직접표시법, 자국통화표시법)
: 외국화폐(외국통화)를 기준으로 자국화폐와의 교환비율 표시
: 우리나라도 채택(원/달러) → W/$ → $1 = 1,200원
▪ 유럽식 환율 표시 방식(간접표시법, 외국통화표시법)
: 자국화폐(국내통화)를 기준으로 외국화폐와의 교환비율 표시
▪ 환율을 통해 서로 다른 국가의 상품, 자산, 부채, 소득 등의 가치를 비교 → 서로 다른 화폐단위로 측정된 가치를 동일한 화폐단위로 환산

QUIZ 45 다음 중 환율에 대한 설명으로 가장 옳은 것은?

① 수출재 1단위와 교환되는 수입재의 양
② 수입재 1단위와 교환되는 수출재의 가격
③ 두 나라 통화(화폐)의 교환비율
④ 두 나라 일반 물가수준의 차이

환율계산 및 상대가격, 평가절상과 절하

- 환율계산(2달러인 미국상품의 가격을 원화로 환산)
: 환율이 1,000원/달러 → 미국상품 원화가격은 2,000원
- 환율계산(50,000원인 한국상품의 가격을 달러로 환산)
: 환율이 1,000원/달러 → 한국상품 달러가격은 50달러
- 상대가격
: 상품들 사이의 교환비율(어떤 상품 1단위와 교환될 수 있는 다른 상품의 양) → 해당 상품의 가격 ÷ 다른 상품의 가격
: 사과 1개의 가격은 1,000원, 키위 1개의 가격은 500원
→ 사과의 상대가격 키위 2개
- 환율과 상대가격
: 환율상승 → 해외상품(자산)의 원화가격이 상승 → 국내상품(자산)이 상대적으로 싸짐 → 해외상품(자산) 대비 국내상품(자산)의 가격이 하락 → 국내상품(자산)의 상대가격(가치) 하락
- 환율과 통화의 상대가격
: 환율은 외국통화 1단위와 교환되는 국내통화의 수량(외국통화의 상대가격을 의미) → 국내통화의 상대가격은 환율의 역수
: 1,000원/달러 → 국내통화 1단위(1원)는 $\frac{1}{1,000}$ 달러
- 통화의 평가절상과 평가절하
: 국내통화 절상은 국내통화의 가치(상대가격) 상승(해외상품 구매력 증가) → 외국통화 절하를 의미 → 국내통화의 절상은 환율하락으로 표현 → 수입 증가

KEY 01 외환시장의 원화 수요곡선 및 공급곡선

1. 원화의 수요곡선과 공급곡선

① 외환시장의 원화의 수요곡선

• 원화가치(수직축, 환율의 역수), 원화량(수평축) → 우하향

: 원화가치 상승(환율하락) → 국내통화(원화)의 수요 감소

: 국내상품 및 자산의 상대적 가치 증가 → 해외에서의 국내 상품 및 자산 구매 감소 → 해외통화의 원화로의 환전 감소 → 원화의 매입 감소 → 국내통화 수요 감소 → 음(-)의 관계

② 외환시장의 원화의 공급곡선

• 원화가치(수직축, 환율의 역수), 원화량(수평축) → 우상향

: 원화가치 상승(환율하락) → 국내통화(원화)의 공급 증가

: 해외상품 및 자산의 상대적 가치 감소 → 국내에서의 해외 상품 및 자산 구매 증가 → 원화의 해외통화로의 환전 증가 → 원화의 매도 증가 → 국내통화 공급 증가 → 양(+)의 관계

QUIZ **46** 다음의 환율과 관련된 내용 중 옳지 않은 것은?

① 환율은 국가간 화폐의 교환비율이다.

② 원/달러 환율이 상승하면 원화가치가 올라간다.

③ 원/달러 환율이 하락하면 달러표시 수출가격이 높아져 수출 경쟁력이 떨어진다.

④ 원/달러 환율은 한국 입장에서 자국통화표시법이다.

KEY 02 환율 변화의 원인

1. 이자율평가설(단기, 환율결정의 자산접근)

① 화폐로 자산을 구매할 수 있음

• 재화와 서비스 거래가 아닌 자본거래(금융거래)를 중심으로 환율변동 설명

② 해외투자 기대수익률 = 해외이자율 + 환율의 기대변화율

• 해외자산 이자율이 높을수록 해외투자 기대수익률이 높아짐

• 환율이 높을수록 원화로 환산한 수익의 크기가 커짐

: 환율의 기대변화율이 클수록 해외투자의 기대수익률 높아짐

③ 해외이자율 상승(해외자산 기대수익률 상대적 상승)

• 국내에서 해외투자(해외자산 매입) 증가

→ 원화공급 증가(원화의 외국통화로의 환전 증가)

• 외국인 투자(해외에서 국내자산의 매입) 감소

→ 원화수요 감소(외국통화의 원화로의 환전 감소)

• 원화공급곡선 우측 이동, 원화수요곡선 좌측 이동

→ 균형 원화가치 하락(균형환율 상승)

④ 국내이자율 상승(국내자산 기대수익률 상대적 상승)

• 해외에서 국내투자(국내자산 매입) 증가

→ 원화수요 증가(외화의 원화 환전 증가)

• 국내에서 해외투자(해외자산 매입) 감소

→ 원화공급 감소(원화의 외국통화로의 환전 감소)

• 원화수요곡선 우측 이동, 원화공급곡선 좌측 이동

→ 균형 원화가치 상승(균형환율 하락)

2. 구매력평가설(장기)

① 화폐는 재화와 서비스 교환의 매개체

• 재화와 서비스 거래(무역)에 의한 환율 결정

: 재화와 서비스 거래(상품 거래)에서 국내화폐와 외국화폐가 쓰임(수요와 공급)에 따라 환율이 결정

② 국내상품에 대한 해외수요 증가

• 원화수요 증가(국내상품 구매 위해 외국에서 원화로의 환전 증가) → 원화수요곡선 우측 이동

→ 원화의 거래량 증가, 원화가치 상승(균형환율 하락)

※ 두 나라의 물가(구매력)가 환율을 결정

: 한국 물가 6% 상승, 미국 물가 3% 상승 → 원화 구매력이 달러화에 비해 3% 감소 → 원화가치의 3% 절하

: 물가가 신축적으로 변동하기에 충분한 장기에 더 타당함

---

③ 구매력평가설의 문제점(한계)

• 비교역재와 국내 물가결정 방식이 포함되지 않음

: 물가에는 비교역재 가격이 포함됨 → 장기적으로도 환율이 물가와 무관하게 변동할 수 있음

• 환율의 장기적 추세 설명에는 적합하나 단기적 추세 설명에는 부적합

$\overset{\displaystyle\frown}{\text{KEY}}_{03}$ 환율제도

1. 변동환율제도(자유로운 수요와 공급에 의해 결정)
① 외환시장에서 환율이 결정되는 제도
* 현실은 관리변동화율제도
* 장점
: 경기조절을 위한 통화정책 시행가능
: 환율유지를 위한 비용은 들지 않음
* 단점
: 시장변화에 따른 높은 불확실성
: 해외의 경기변동이 곧바로 국내에 파급됨

2. 고정환율제도(정부의 외환시장 개입)
① 정부가 목표환율을 정하고 그것을 유지하는 제도
* 현실은 고정된 환율수준을 기준으로 일정 폭의 변동을 허용
* 장점
: 환율을 안정시킴으로써 불안정성과 불환실성 제거
* 단점
: 환율의 유지비용이 소요됨
: 외환의 수출입 통제에 따른 상품의 수입과 수출 왜곡
: 상당한 규모의 외환보유고를 유지해야 함
: 환율방어 이외의 다른 통화정책 목표를 설정할 수 없음
→ 이자율 조정이 환율변동을 초래하므로 중앙은행이 이자율을 마음대로 조정하기 어려움

⊂KEY04 국제수지와 환율

1. 국제수지와 환율의 관계

① 국제수지

• 국가 간 경상거래와 자본거래(금융거래)의 결과를 체계적으로 기록한 것 → 경상수지와 자본·금융수지

② 경상수지와 환율

• 환율 상승(원화가치 하락)

: 환율이 상승할 때 수입의 크기는 반드시 감소하지만 수출의 크기는 증가와 감소가 모두 가능

• 환율상승과 수입

: 환율상승 → 국내상품 대비 해외상품의 상대가격 상승

→ 수입물량 감소 → 수입액 감소

• 환율상승과 수출물량

→ 한국산의 상대가격 하락 + 외국산 가격 상승

→ 한국 상품 수요 증가 + 외국 상품 수요 감소

→ 수출물량 증가

→ 순수출 증가(경상수지 개선, 물량으로 표시)

→ 그러나 환율변동으로 물량이 아닌 화폐단위(수출액)로 표시하면 순수출 감소가 나타날 수 있음

• 환율이 상승하면 대체적으로 경상수지는 증가

마셜-러너 조건과 J-곡선 효과

- 마셜-러너 조건 (Marshall-Lerner Condition)
: 환율상승으로 인한 순수출 변화
- 수출품 수요에 대한 가격탄력성(A)과 수입품 수요에 대한 가격탄력성(B)의 영향을 받음
: 환율상승이 순수출 증가(경상수지 증가)로 이어지기 위한 조건은 A + B >1
: 두 가격탄력성이 클수록 환율이 변화할 때 수출물량과 수입물량이 더 크게 변화함
- J-곡선 효과(J-curve effect)
: 환율상승(원화가치 하락)이 순수출에 미치는 효과가 시간이 지남에 따라 다르게 나타날 수 있음
: 환율변화가 즉각적으로 소비변화에 영향을 주기 않기 때문에 (환율변화가 수입품의 국내가격 변화에 즉각적으로 반영되지 않기 때문에) → 원화가치 하락으로 순수출이 감소하다가 시간이 지나면서 순수출이 증가
- 마셜-러너 조건 충족하며 J-곡선효과 없다고 가정
: 원화가치하락(환율상승) → 순수출 증가 → 고용 증가
→ 노동수요 증가 → 총생산 증가
→ 그러나 수입하는 원료 등의 가격 상승으로 생산비용 상승
→ 그러므로 순수출 증가효과 > 생산비용상승효과일 경우
→ 총생산 증가

KEY 05 고정환율제도 아래에서의 경기조절정책

1. 개방경제(고정환율제)

① 개방경제의 고정환율제 아래에서의 통화정책(화폐정책)

- 화폐공급 증가 → 이자율 하락

→ 해외자본유입 감소 + 해외투자 증가

→ 원화공급 증가 → 원화가치 하락

→ 원화가치 유지 위해 외환을 공급하고 원화를 매입

→ 화폐공급량 감소 → 경기활성화 효과 나타나지 않음

- 고정환율제도에서 화폐정책

: 경기조절 목표를 달성하지 못함(통화정책 무력화)

: 확장적 통화정책 → 고정환율을 유지하려는 중앙은행의 외환시장 개입 → 자동적으로 긴축적 통화정책이 시행 → 확장적 통화정책 무력화

② 개방경제의 고정환율제 아래에서의 재정정책

- 국채판매로 정부지출 증가 → 국채판매만큼 민간저축 감소

→ 이자율 상승 → 해외자본 유입증가 → 원화수요 증가

→ 원화가치 상승 → 원화가치 유지 위해 원화공급 증가시켜 외화 매입 → 원화공급 증가로 고용증가효과 가져 옴

→ 총생산 증가

- 확장적 재정정책 → 고정환율을 유지하려는 중앙은행의 외환시장 개입 → 자동적으로 확장적 통화정책이 시행 → 구축효과 사라짐

CKEY 06 변동환율제도 아래에서의 경기조절정책

1. 개방경제(변동환율제)

① 개방경제 변동환율제 아래에서의 통화정책(화폐정책)

- 화폐공급 증가 → 이자율 하락
- → 해외자본유입 감소 + 해외투자 증가
- → 원화공급 증가
- → 원화가치 하락(환율상승)
- → 수출 증가 + 수입 감소
- → 순수출 증가
- → 고용증가
- → 총생산 증가(폐쇄경제보다 통화정책 효과 큼)

② 개방경제 변동환율제 아래에서의 재정정책

- 국채 판매로 정부지출 증가
- → 국채 판매만큼 민간저축 감소
- → 이자율 상승 → 해외자본 유입증가 → 원화수요 증가
- → 원화가치 상승(환율하락)
- → 수출감소 + 수입증가
- → 순수출 감소
- → 고용감소 (임금이 하방경직적이면 더 큰 고용감소)
- → 총생산 감소(폐쇄경제보다 재정정책 효과 감소)

개방경제에서의 통화정책과 재정정책 효과 정리

	고정환율제	변동환율제
확장적 재정정책	• 폐쇄경제에서보다 효과가 더 커짐	• 폐쇄경제에서보다 효과가 감소
확장적 통화정책	• 무력화(효과없음)	• 폐쇄경제에서보다 효과가 더 커짐

QUIZ **47** 다음 중 환율이 상승하였을 때 나타나는 J-곡선 효과와 관련이 없는 내용은?

① 초기에는 수출물량 변화가 미미하다.

② 초기에는 수입물량 변화가 미미하다.

③ 초기에는 달러표시 수출액이 감소한다.

④ 초기에는 순수출액이 증가하지만 시간이 흐르면서 점차 감소한다.

QUIZ **48** 다음 중 평가절하가 경상수지 개선을 가져올 수 있는 경우는?

① 자국 수입수요탄력성 = 0.6, 해외 수입수요탄력성 = 0.6

② 자국 수입수요탄력성 = 0.4, 해외 수입수요탄력성 = 0.4

③ 자국 수입수요탄력성 = 0.1, 해외 수입수요탄력성 = 0.6

④ 자국 수입수요탄력성 = 0.6, 해외 수입수요탄력성 = 0.1

문제풀이 연습

01 환율에 대한 다음 설명 중 가장 옳지 않은 것은?

① 한 나라의 통화와 다른 나라 통화 사이의 교환비율임
② 서로 다른 화폐단위로 측정된 가치를 동일한 화폐단위로 환산해줌
③ 미국식 표시방법(직접표시법)은 외국통화 1단위와 교환되는 국내통화의 수량으로 표시함
④ 유럽식 표시방법(간접표시법)은 국내통화 1단위와 교환되는 외국통화의 수량으로 표시하는데 우리나라도 이 방법을 채택함

02 외환시장에 대한 다음 설명 중 옳지 않은 것은?

① 균형환율은 외환시장에서 수요와 공급이 만나는 점에서 결정되는데 외화의 수급에 변화가 생기면 환율도 변한다.
② 우리상품에 대한 해외수요, 즉 수출이 증가하면 외환공급이 증가하여 원/달러 환율이 하락한다.
③ 수입이 증가하면 외환수요가 증가하여 환율이 상승한다.
④ 외화의 공급은 수입, 해외여행, 유학, 해외투자, 투기수요, 환율하락을 막기 위한 정부의 외환시장 개입 등의 경우에 발생한다.

03 변동환율제도를 채택하고 있는 국가에서, 자국통화 가치를 하락시키는 요인으로 가장 거리가 먼 것은?

① 외국인의 국내 투자 한도를 크게 제한
② 교역의존도가 높은 주변국의 경기침체
③ 주변국 물가보다 높은 국내물가의 상승
④ 자국민의 해외여행 수요의 큰 감소

04 환율(₩/$)과 국제무역에 대한 설명 중 옳은 것은?

① 환율이 상승하면 수출경쟁력이 떨어진다.
② 고정환율제는 환율유지를 위한 비용이 변동환율제보다 적게 든다.
③ 변동환율제의 경우 시장변화에 따른 불확실성이 고정환율제보다 낮다.
④ J-곡선 효과는 환율이 상승하여 수출물량이 증가하여도 단기적으로 $표시 순수출액이 오히려 감소할 수 있음을 보여준다.

05 환율이 상승할 때 초기에 경상수지가 악화되다가 시간이 어느 정도 경과 후 경상수지가 개선되는 효과는?

① 유도성 효과　　　　② 상충(trade-off)효과
③ J-곡선 효과　　　　④ 환율인상 효과

06 | 변동환율제도 아래서 원화의 환율을 상승시키는 요인과 가장 거리가 먼 것은?

① 경기호황에 따른 설비투자 증가로 인한 자본재 수입 증가
② 공산품에 대한 추가적 관세인하에 따른 수입 증가
③ 지적재산권협약에 따른 해외 로얄티지급 증가
④ 외국인 증권투자한도의 추가적 확대

07 | 환율제도에 대한 다음 설명 중 틀린 것은?

① 고정환율제도에서는 불안정성이 감소한다.
② 고정환율제도를 유지하기 위해서는 중앙은행이 상당한 규모의 외환보유고를 유지해야 한다.
③ 고정환율제도에서는 환율방어 외에 통화정책의 목표를 달성할 수 있다.
④ 변동환율제도에서는 경기조절을 위한 통화정책을 시행할 수 있다.

08 | 다음 중 변동환율제에 대한 설명으로 옳은 것은?

① 외환시장의 불확실성이 낮다.
② 환율유지를 위한 비용이 많이 든다.
③ 정부나 중앙은행이 외환시장에 개입한다.
④ 외환시장의 수급에 의해 환율이 결정된다.

⟳09 | J-곡선효과에 대한 다음 설명 중 옳지 않은 것은?

① 장기적으로 순수출액이 증가한다.
② 단기적으로 순수출액이 감소한다.
③ 수출입 물량 조정에 시간이 소요되기 때문에 나타나는 현상이다.
④ 원/달러 환율이 상승할 때, 즉각적으로 순수출액이 증가한다.

⟳10 | 다음 중 외환시장에서 외화의 공급이 발생하는 경우와 거리가 먼 것은?

① 수출 증가와 외국인의 한국관광 증가
② 해외에 일하는 한국근로자의 국내송금
③ 해외여행과 유학의 증가
④ 해외 차입과 외국인의 국내 주식투자 증가

⟳11 | 환율결정이론 중 자산접근방식에서 균형환율이 결정되는데 중요한 역할을 하는 것은?

① 이자율   ② 물가수준
③ 국민소득 수준   ④ 구매력평가

○12 | 다음은 고정환율제도와 경기조절정책에 관한 경로에 관한 설명이다. 빈칸을 모두 적절하게 채운 것은?

> 고정환율제도의 확장적 통화정책 → 국내이자율(A) → 외환 시장에서 원화의(B) → 원화가치(C) → 고정환율유지를 위해 중앙은행의 해외통화(D) → 본원통화(E) → 이자율(F)

① (A)하락, (B)초과공급, (C)상승, (D)매입, (E)증가, (F)하락
② (A)하락, (B)과소공급, (C)상승, (D)매입, (E)증가, (F)하락
③ (A)하락, (B)초과공급, (C)하락, (D)매도, (E)감소, (F)상승
④ (A)하락, (B)과소공급, (C)하락, (D)매도, (E)감소, (F)상승

○13 | 다음 중 가장 옳지 않은 설명은?

① 환율제도는 정책적 판단에 의해 간헐적으로 환율을 변경하는 고정환율제와 외환시장의 수급에 의해 환율을 결정하는 변동환율제가 있다
② 변동환율제는 시장변화에 따른 불확실성에 경제가 그대로 노출되는 단점이 있다.
③ 원/달러 환율이 상승하더라도 달러표시 수출액은 감소하지만, 수입액에는 별 변화가 없어 순수출액은 오히려 감소하였다가 다시 증가하는 J-곡선 효과가 나타난다.
④ 환율이 상승하면 수출물량이 감소하고, 수입물량은 증가하여 순수출액은 감소한다.

○14 개방거시경제에서 경기조절정책에 대한 서술 중 가장 옳지 않은 설명은?

① 변동환율제도에서의 확장적 통화정책은 환율의 변동을 야기하여 폐쇄경제에서보다 그 효과가 더욱 커진다.

② 고정환율제도 하에서는 중앙은행이 경기변동을 완화하기 위해서 취하는 확장적 통화정책이 무력화 된다.

③ 변동환율제도 아래서 확장적 재정정책은 폐쇄경제와 비교하여 그 정책적 효과가 감소한다.

④ 고정환율제도에서의 확장적 재정정책은 폐쇄경제보다 그 효과가 더 감소한다.

○15 구매력평가이론에서 환율을 결정하는 가장 직접적인 요인은?

① 국내외 이자   ② 국내외 소득
③ 국내외 물가   ④ 국내외 임금

○16 다음 중 외환시장에서 균형환율이 상승하는 경우는?

① 해외이자율의 상승
② 국내이자율 상승
③ 해외이자율의 하락
④ 국내상품에 대한 해외에서의 수요 증가

🔄17 | 환율결정이론에 대한 다음 서술 중 옳지 않은 것은?

① 구매력평가설은 장기적인 환율의 변동을 제대로 설명할 수가 없으나 단기적인 변화는 어느 정도 설명할 수 있다.
② 이자율평가설은 국가 간 재화와 서비스의 거래가 아니라 금융거래(자본거래)가 환율을 결정하는 가장 중요한 요인이라고 간주한다.
③ 해외투자의 기대수익률 = 해외이자율 + 환율의 기대변화율
④ 구매력평가설은 국가 간 재화와 서비스의 거래(무역)가 환율을 결정하는 가장 중요한 요인이라고 간주한다.

🔄18 | 다음 서술 중 가장 옳지 않은 것은?

① 환율이 상승하면 국내상품 대비 해외상품의 상대가격이 상승하여 수입물량이 감소하므로 수입액이 감소한다.
② 환율상승은 수출물량을 증가시키나 수출액은 감소할 수 있다. 따라서 순수출을 물량이 아닌 화폐단위로 표시하면 감소할 수도 있다.
③ 마샬-러너 조건에 의하면 수출품 수요와 수입품 수요의 가격탄력성의 합이 1보다 작으면 환율이 상승(하락)할 때 경상수지가 증가(감소)한다.
④ 환율이 상승하면 대체적으로 경상수지는 증가한다.

25강 모의테스트 mock test 거시경제편

○01 다음 중 국내총생산(GDP)에 대한 설명으로 가장 옳지 않은 것은?

① 최종생산물의 가치만을 총합한다.
② 최종생산물과 중간투입물의 가치를 총합한다.
③ 부가가치를 총합한다.
④ 생산, 지출, 분배의 세 측면에서 명목적으로 일치한다.

○02 총생산함수에 대한 설명으로 틀린 것은?

① 경제 전체의 총생산은 기술수준, 물적 자본의 양, 인적 자본의 양으로 결정됨을 나타낸다.
② 물적 자본에 대한 한계생산물체감의 법칙이 적용된다.
③ 물적 자본의 축적, 인구와 교육의 증가만으로 지속적인 경제성장이 가능하다.
④ 인적 자본에 대한 한계생산물체감의 법칙이 적용된다.

03 | 인플레이션에 대한 설명으로 옳지 않은 것은?

① 인플레이션으로 현금보유를 줄이고 다른 금융자산의 보유를 늘리고자 하므로 구두창비용이 발생한다.
② 인플레이션이 높을 수록 높은 메뉴비용이 발생한다.
③ 예상하지 못한 인플레이션으로 채권자에게서 채무자로 부가 재분배 된다.
④ 인플레이션으로 상대가격의 변화가 발생하지만 자원배분의 왜곡은 발생하지 않는다.

04 | 다음 중 노동공급곡선을 오른쪽으로 이동시키는 요인에 해당하는 것은?

① 비경제활동인구의 경제활동참여 감소
② 육아활동으로 인한 가사노동시간 증가
③ 사회 전체의 인구 감소
④ 유급노동시간에 대한 기회비용 하락

05 | 다음 중 거시경제학의 분석대상에 해당하는 것은?

① 경기변동   ② 사회적 잉여
③ 시장실패   ④ 조세부담의 귀착

06 | 국내총생산 디플레이터(GDP Deflator)와 관련된 설명으로 가장 옳지 않은 것은?

① GDP디플레이터로 기준연도에 비해 물가가 얼마나 상승했는지 알 수 있다.

② GDP디플레이터는 한 경제에서 생산되는 재화와 서비스의 최종생산물의 총체적인 가격수준 변화를 파악하는 데 유용하다.

③ GDP디플레이터의 상승은 물가수준의 하락을 의미한다.

④ GDP디플레이터란 물가수준의 지표로 명목GDP를 실질GDP로 나눈 수치에 100을 곱한 것이다.

07 | 재정정책에 대한 다음 설명으로 옳지 않은 내용은?

① 정책결정자의 재량적 집행으로 인해 비경제적 목적을 달성하기 위해 사용될 수 있다.

② 경기변동에 따라 자동적으로 나타나는 요소가 있으며 통화량 증가로 인해 물가상승이 발생한다.

③ 정부의 확장정 재정정책이 민간의 지출을 밀어낼 수 있다(구축효과).

④ 여러 단계의 절차를 거쳐야 하므로 적시에 집행되지 않을 수 있다.

08 | 국내총생산(GDP)과 관련된 설명으로 틀린 것은?

① 경제성장을 측정할 수 없다.

② 감가상각을 정확히 반영하지 못한다.

③ 가내 생산이나 지하경제 같은 시장 외부의 활동을 반영하지 못한다.

④ 환경오염 등의 문제를 반영하지 못해 삶의 질을 측정하는 데 제한적이다.

09 | 원/달러 환율이 상승할 때 나타나는 현상으로 옳은 것은?

① 국내 수출업자의 달러 표시 가격 상승

② 수입 금액 상승으로 인한 경상수지 악화 가능성 상승

③ 미국으로 여행을 가는 한국인 증가

④ 국내 수입업자의 원화 표시 가격 하락

10 | 총생산함수에서 노동의 증가가 경제성장에 미치는 결과로 옳은 것은?

① 1인당 실질GDP 증가

② 1인당 자본의 증가

③ 실질 국내총생산 증가

④ 기술의 발전

○11 다음 중 자유무역의 결과로 틀린 설명은?

① 수입국의 국내 판매가격 하락으로 소비자 잉여가 증가한다.
② 수출국의 국내 판매가격 상승으로 생산자 잉여가 증가한다.
③ 수입국 소비자 잉여 변화분은 생산자 잉여보다 작다.
④ 수출국 생산자 잉여 변화분은 소비자 잉여보다 크다.

○12 아래 내용을 참고하여 같은 기간 중 실질국내총생산의 변화를 계산하면?

> 명목국내총생산이 작년에는 440, 올해는 480이고, 같은 기간 국내총생산 디플레이터는 110에서 120으로 상승했다.

① 40 증가　　　　　② 2 증가
③ 40 감소　　　　　④ 불변

○13 실업과 경기순환에 대한 다음 설명 중 틀린 것은?

① 경제호황에는 경기적 실업이 감소한다.
② 잠재총생산은 완전고용이 이루어졌을 때의 총생산이다.
③ 실제총생산이 잠재총생산을 달성한다면, 이 때의 실제실업률은 자연실업률을 달성한다.
④ 실제총생산과 잠재총생산의 차이가 나타날 수 있고, 이 차이로 인한 실업률은 구조적 실업을 의미한다.

14 | 화폐수량설에 대한 다음 서술 중 틀린 것은?

① 화폐의 유통속도가 빨라질수록 총생산의 거래에 필요한 통화량은 감소한다.

② 통화량과 이자율의 관계를 설명할 수 있다.

③ 화폐의 유통속도와 실질총생산이 일정하다면, 화폐공급이 변화할 때 물가가 이에 정비례하여 변화한다.

④ 화폐의 유통속도와 경제성장률이 일정하다면, 화폐공급 증가율의 변화는 물가상승률을 동일한 크기 만큼 변화시킨다.

15 | 변동환율제도에서 경기조절정책의 효과에 대한 설명 중 가장 옳지 않은 것은?

① 재정정책과 통화정책 모두 큰 효과를 발휘한다.

② 폐쇄경제보다 재정정책의 효과가 더 작게 나타난다.

③ 확장적 통화정책으로 환율이 상승하여 순수출이 증가한다.

④ 폐쇄경제보다 통화정책의 효과가 더 크게 나타난다.

16 | 국내 판매가격보다 낮은 가격으로 수입을 할 때, 관세부과 혹은 수입할당 실행시 나타나는 현상이 아닌 것은?

① 관세부과로 정부수입이 증가한다.

② 관세부과로 사회적 후생 손실이 발생한다.

③ 수입할당으로 소비자 잉여가 증가한다.

④ 수입할당으로 사회적 후생 손실이 발생한다.

○17 | 원/달러 환율과 국제무역에 관한 설명으로 옳지 않은 것은?

① 환율상승은 수출경쟁력을 악화시킨다

② 환율하락은 수입을 증가시킨다.

③ 마셜-러너 조건이 충족되고 J-곡선 효과가 나타나지 않는다면 환율상승은 순수출을 증가시킨다.

④ 환율상승으로 인한 순수출의 변화는 수출품과 수입품의 가격 탄력성에 영향을 받는다.

○18 | 통화정책에 대한 다음 설명 중 옳지 않은 내용은?

① 중앙은행이 민간은행의 지불준비금 공급을 증가시키면 지불준비금의 이자율이 하락한다.

② 중앙은행이 민간은행의 지불준비금 공급을 감소시키면 지불준비금의 이자율이 상승한다.

③ 중앙은행이 공개시장조작으로 국채를 매입하면 본원통화와 통화량이 증가함으로써 이자율이 상승한다.

④ 중앙은행이 공개시장조작으로 국채를 매입하면 본원통화와 통화량이 증가함으로써 이자율이 하락한다.

Quiz 정답

번호	01	02	03	04	05	06	07	08
정답	③	③	②	②	④	②	①	②

번호	09	10	11	12	13	14	15	16
정답	①	④	④	③	①	①	③	③

번호	17	18	19	20	21	22	23	24
정답	③	③	④	②	④	④	②	②

번호	25	26	27	28	29	30	31	32
정답	①	④	③	②	①	①	②	④

번호	33	34	35	36	37	38	39	40
정답	③	①	②	③	①	①	①	③

번호	41	42	43	44	45	46	47	48
정답	④	②	②	③	③	②	④	①

문제풀이 연습 정답

	01강	02강	03강	04강	05강	06강
01	③	①	①	①	④	②
02	③	①	①	①	①	③
03	①	②	①	③	①	③
04	④	②	③	②	④	②
05	③	②	①	①	①	④
06	②	②	③	②	③	②
07	④	③	①	②	②	④
08	③	④	④	②	③	②
09	②		④	②	①	①
10	②		④	④	①	③
11	③		①	④	③	
12				④	③	
13					③	
14						
15						
16						
17						
18						

문제풀이 연습 정답

	07강	08강	09강	10강	11강	12강
01	④	③	③	②	②	③
02	②	②	③	②	①	③
03	④	②	①	④	③	④
04	③	②	④	②	②	④
05	④	②	④	②	④	①
06	②	④	③	③	①	②
07	②	③	②	③	④	③
08	②	④	③	③	④	②
09	④	②	②	④	①	④
10	②	②	③	③	④	③
11	①	③	①	①	③	③
12	③	③	④	②	③	④
13	③	③	④	③	④	④
14	④	③	①	④	③	④
15	④	②			②	
16	②				④	
17	②				④	
18	③					

문제풀이 연습 정답

	13강	14강	15강	16강	17강	18강
01	③	④	②	④	①	②
02	④	③	④	③	④	②
03	②	②	①	③	④	④
04	③	③	③	②	④	④
05	④	④	②	③	③	③
06	③	③	④	③	④	①
07	③	④	①	④	①	④
08	②	③	①	③	③	①
09	②	②	④	③	③	③
10	③	②	②	②	④	④
11	③	③	①	③	③	③
12	①	③	④	③	③	②
13	①	②		①	③	④
14	③			④	④	②
15	④			④	③	
16	③			④	③	
17	②			④	①	
18				③	③	

문제풀이 연습 정답

	19강	20강	21강	22강	23강	24강
01	②	③	④	①	④	④
02	①	③	②	③	①	④
03	②	③	③	③	③	④
04	③	①	②	②	④	④
05	②	②	④	②	①	③
06	①	②	④	④	①	④
07	③	③	①	④	②	③
08	②	①	②	②	③	④
09	③	②	③	①	①	④
10	②	①	①	③	③	③
11	②	①	③	③		①
12	④	④	④	③		③
13	①	③	④	③		④
14	④	②	①	③		④
15	①		①	④		③
16			④	④		①
17			④	④		①
18			①	①		③

	25강
01	②
02	③
03	④
04	④
05	①
06	③
07	②
08	①
09	②
10	③
11	③
12	④
13	④
14	②
15	①
16	③
17	①
18	③